U0064440

劉福春・李怡 主編

民國文學珍稀文獻集成

第三輯

新詩舊集影印叢編　第87冊

【劉半農卷】

瓦釜集

北新書局 1926 年 4 月初版

劉半農　著
(署名：劉復)

揚鞭集(上)

北新書局 1926 年 6 月出版

劉半農 著

花木蘭文化事業有限公司

國家圖書館出版品預行編目資料

瓦釜集／揚鞭集（上） 劉半農 著 — 初版 — 新北市：花木蘭文化事業有限公司，2017〔民106〕

112面／136面；19×26公分

（民國文學珍稀文獻集成 · 第三輯 · 新詩舊集影印叢編 第87冊）

ISBN 978-986-518-473-5（套書精裝）

831.8 10010193

ISBN-978-986-518-473-5

民國文學珍稀文獻集成 · 第三輯 · 新詩舊集影印叢編（86-120冊）

第87冊

瓦釜集
揚鞭集（上）

著　者　劉半農
主　編　劉福春、李怡
企　劃　四川大學中國詩歌研究院
　　　　四川大學大文學學派
總編輯　杜潔祥
副總編輯　楊嘉樂
編　輯　許郁翎、張雅淋、潘玟靜　美術編輯　陳逸婷
出　版　花木蘭文化事業有限公司
社　長　高小娟
聯絡地址　235 新北市中和區中安街七二號十三樓
　　　　電話：02-2923-1455／傳眞：02-2923-1452
網　址　http://www.huamulan.tw 信箱 service@huamulans.com
印　刷　普羅文化出版廣告事業
初　版　2021年8月
定　價　第三輯86-120冊（精裝）新台幣88,000元

瓦釜集

劉半農 著

(署名：劉復)

劉半農（1891～1934），原名劉壽彭，又名劉復，生於江蘇江陰。

北新書局一九二六年四月初版。原書三十二開。

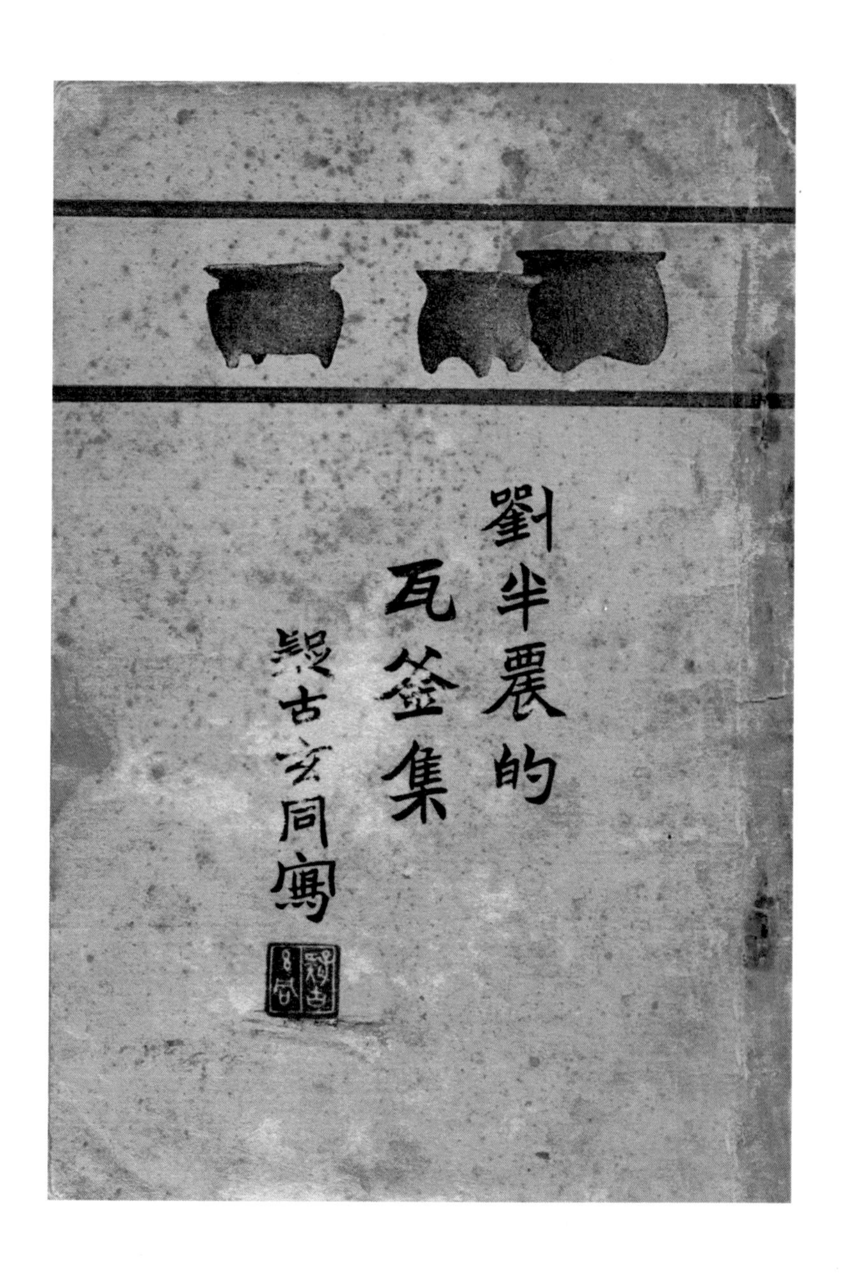
劉半農的
瓦釜集
疑古玄同寫

劉半農瓦釜集一卷附錄手攀楊柳望情哥詞一卷一九二六年北京北新書社印行

瓦釜集目次

第五歌——「車車夜水也風涼」
第六歌——「劈風劈雨打熄仔我燈籠火」
第七歌——「隔壁阿姐你爲啥面皮黃？」
第八歌——「只有狠心格老子無不狠心格娘」
第九歌——「一綱重來一綱輕」
第十歌——「搖一程來撐一程」
第十一歌——「人比人來比殺人」
第十二歌——「我說新婦小姐——」
第十三歌——「老酒喫喫有三樣好」
第十四歌——「你叫王三妹來我叫張二郎」
第十五歌——「姐倪姐倪十指尖」

—2—

第一歌——「結識私情隔條河」
第二歌——「梔子花開十六瓣」
第三歌——「山歌勿唱忘記多」
第四歌——「郎關姐來姐關郎」
第五歌——「隔河望見野花紅」
第六歌——「姐勒窗下洗衣裳」
第七歌——「情哥郎你要出香房」
第八歌——「山歌越唱越好聽」
第九歌——「我十七十八正要倫」
第十歌——「天上只有半個頭月亮嘸不半個頭星」
第十一歌——「山歌越唱越新鮮」

—4—

題半農瓦釜集（用紹興方言）

半農哥呀半農哥，
偌眞唱得好山歌，
一唱唱得十來首，
偌格本事直頭大。
我是個弗出山格水手，
同撐船人客差弗多，
頭腦好唱鸚哥調，

我是只會聽來弗會和。
我弗想同偖來扳子眼，
也用弗著我來吹法螺，
今朝輪到我做一篇小序，
豈不是坑死俺也麼哥！
——倘若偖一定要我話一句，
我只好連連點頭說「好個，好個！」

一九二二年春夜，于北京，仲密。

—2—

代自叙

啓明兄：

今回寄上近作瓦釜集稿本一册，乞兄指正。集中所錄，是我用江陰方言，依江陰最普通的一種民歌——『四句頭山歌』——的聲調，所做成的詩歌十多首。集名叫做『瓦釜』，是因爲我覺得中國的『黃鐘』，實在太多了。單看一部元曲選，便有那麼許多的『萬言長策』，眞要叫人痛哭，狂笑，打噓！因此我現在做這傻事：要試驗一下，能不能盡我的力，把數千年來受盡侮辱與蔑視，打在地獄底裏而沒有呻吟的機會的瓦釜的聲音，表現出一部

—1—

分來。

我這樣做詩的動機，是起於一年前讀戴季陶先生的阿們詩，和某君的女工之歌。這兩首詩都做得很好：若叫我做，我做不出。但因我對於新詩的希望太奢，總覺得這已好之上，還有更好的餘地。我起初也說不出所以然來。後來經過多時的研究與靜想，纔斷定我們要說誰某的話，就非用誰某的眞實的語言與聲調不可；不然，終於是我們的話。

關於語言，我前次寫信給你，其中有一段，可以重新寫出：『……大約語言在文藝上，永遠帶著些神秘作用。我們做文做詩，我們所擺脫不了，而且是能於運用到最高等最眞摯的一步的，便是我們抱在我們母親膝上時所學的語言：同時能使我們受最深切的感動，覺得比一切別種語言分外的親密有味的，也就是這種我們的母親說過的語言。 這種語言，因爲傳布的區域很小(可以嚴格的收縮在一個最小的地域以內)，而又不能獨立，我們叫它方言。 從這上面看，可見一種語言傳布的區域的大小，和他感動力的大小，恰恰成了一個反比例。 這是文藝上無可奈何的事。』

關於聲調，你說過：『……俗歌——民歌與兒歌——是現在還有生命的東西，他的調子更可以拿來利用』(新青年八卷四號「詩」)。 這是我們兩人相隔三萬多里一個不謀而合的見解。

以上是我所以要用江陰方言和江陰民歌的聲調做詩的答案。

我應當承認：我的詩歌所能表顯，所能感動的社會，地域是很小的。但如表顯力與感動力的增强率，不小於地域的減縮率，我就並沒有失敗。

其實這是件很舊的事。凡讀過 Robert Burns, William Barnes, Pardric Gregary 等人的詩的，都要說我這樣的解釋，未免太不憚煩。不過中國文學上，改文言爲白話，已是盤古以來一個大奇談，何況方言，何況俚調！因此我預料瓦釜集出版，我應當正對着一陣笑聲，罵聲，唾聲的雨！但是一件事剛起頭，也總得給人家一個笑與罵與唾的機會。

這類的詩，我一年來共做了六十多首，現在只刪賸三分之一。其實這三分之一中，還儘有許多可以刪，或者竟可以全刪，所賸的只是一個方法。但我們的奇怪心理，往往對於自己新造的東西，不忍過於割削，所以目下暫且留䐗這許多。

我懸着這種試驗，我自己並不敢希望就在這一派上做成一個詩人；因爲這是件很難的事，恐怕我的天才和所下的功夫都不夠。我也不希望許多有天才和肯用功夫的人，都走這條路；因爲文學上，可以發展的道路很多，我斷定有人能從茅塞糞土中，開發出更好的道路來。

我初意想做一篇較長的文章，將我的理論詳細申說：現在因爲沒有功夫，只得暫且擱下。一面却將要點寫在這信裏，當作一篇非正式的 Dedication 。

我現在要求你替我做一篇序，但並不是一般出版物上所要求的恭維的序。恭維一件事，在施者是違心，在受者是有愧，究

—5—

竟何苦！ 我所要求的，是你的批評：因爲我們兩人，在做詩上所嘗的甘苦，相知得最深，你對於我的詩所下的批評，一定比別人分外確當些；但這樣又像我來恭維你了！——其實不是，我不過說，至少也總沒有胡『蠶眠』(！)先生那種怪談。

現在的詩界眞寂寞，評詩界更寂寞。把『那輪明月』改做『那輪月明』湊韻，是押『稱錘韻』的人還不肯做的，有人做了。把新芬黨人的獄中絕食，比做伯夷叔齊的不食周粟，是搭截大家還不敢做的，也有人做了。 做了不算，還有許多的朋友恭維。這種朋友對於他們的朋友，是怎樣的心理，我眞推想不出。 若說這樣便是友誼，那麼，我若有這樣朋友，我就得借着Wm.Blake的話對他說：

"Thy friendship oft has made my heart to ache:—
Do be my enemy, for friendship's sake."

我希望你為友誼的緣故做我的朋友，這是我請你做序的一個條件。

劉復 一九二一，五，二〇，倫敦。

—7—

— 8 —

開場的歌

一隻雄鷄飛上天，
我肚裡四句頭山歌無萬千。
你里若要我把山歌來唱，
先借個煤頭火來喫筒煙。

一隻雄鷄，無所取義；以兒歌中有『三錢銀子買隻大雄鷄，飛來飛去過江河』二句，故借用之。

無萬千＝無千無萬＝無量數。

里＝們。

煤頭，城廂語亦作紙吹，即京語之紙煤。

—1—

煤頭火＝煤頭之著火者，吸烟用之。

一隻雄鵝飛過江，
江南江北遠茫茫。
我山歌 江南唱仔還要唱到江北去，
家來 買把笤笎送把東村王大郎。

江＝長江。
江南＝江陰。
江北＝江陰對江之靖江。
仔＝了。
家來＝回家來＝回來。
笤笎＝笤帚，靖江人多業此；笎爲靖江音。
前把字讀如 po，笤笎之單位名；後把字讀如 pe，予也。

—2—

第一歌 (短歌)

善政橋直對鼓樓門，
鼓樓門下男男女女閙沉沉。
你阿看見趙大跌勒井裏仔錢二去下石？
你阿看見孫三暗頭裏跌仔悶衝李四去點燈？

縣諺：『善政橋直對鼓樓門，有理嘸錢說勿清』。 鼓樓門爲清代縣署之頭門，
門前不半里有善政橋。
閙沉沉＝閙紛紛。
阿，土音作乙，或作火，疑詞。
勒＝在。

暗頭裡＝暗中。

悶衝＝悶跌於地；衝字去讀。

—4—

第二歌

（勞工的歌。縣諺：『世上三樁苦，搖船打鐵磨豆腐』，取此義作歌。）

人家說搖船朋友苦連天，
我吃呋吃呋搖船也搖過十來年。
我看末看格青山綠水繁華地，
我喫末喫格青菜白米勒魚蝦垃圾也新鮮。

吃呋，亦可作吃喔，搖船聲。
末，語助詞，其作用略同則字。
格＝的。
勒，頓挫助詞。
魚蝦垃圾，謂水中所產魚蝦等一切雜物。

人家說打鐵朋友苦連天，
我釘釘鐺鐺打鐵也打過十來年。
我打出鐮刀灣灣好比天邊月，
我勿打鋤頭釘耙你里那哼好種田？

你里＝你們。
那哼＝如何。
好＝可。

人家說磨豆腐朋友苦連天，
我豆腐末也嘞嘞嗯嗯磨過十來年。
我做出白篤篤格豆腐來好比姐倪格手
我做出油胚百葉來好供佛勸好齋天。

—6—

末，語助詞，用如日語之ネ。

嚛嚛嚜嚜，用力作事聲，或兩堅物相磨聲；嚜字讀陽聲。

白篤篤，白而細膩也。

油肧，豆腐之油炙者。

百葉，卽京語之千張。

勒，頓挫助詞。

人家說我世上三椿苦喫全，

我自家倒也勿曉得是甜如蜜勒還是苦黃連。

我今年倒也活到仔八十八，

我也聽見過多多少少快活人家家哭少年。

勒，轉語助詞；亦可作吶。

方言中每以六十六或八十八喻老，猶西人以一百一或一千一喻多也。

多多少少＝許許多多。

『家家哭少年』是文語，非口語；但縣諺有『九天像春天，家家哭少年』之句，故仍可作口語用。

—8—

第三歌 （情歌）

郎想姐來 姐想郎，

同勒浪 一片塲上乘風涼。

姐肚裏 勿曉得郎 來郎肚裏 也勿曉得姐，

同看仔 一個 油火蟲蟲飄飄漾漾過池塘。

來，轉語助詞，其作用略同而字。

勒浪＝在（彼）。

凡一片塲一片地之片，均平讀；一片紙一片麪包之片，仍去讀。

仔＝着。

油火蟲，或疊蟲字，螢也。

第四歌 （情歌）

姐園裏一朵薔薇開出墻，
我看見仔薔薇也和看見姐一樣。
我說姐倪你勿送我薔薇也送個刺把我，
戳破仔我手末你十指尖尖替我綁一綁。

仔＝了。
和，讀海字之去聲。
戳＝刺。
綁＝以布片縛創處。

—10—

第五歌（農歌。五個人車夜水（夜裏車水），一老人，一已婚中年，一未婚中年，一少年，一童子，每人唱一節，首尾各有合唱一節。）

（合）啊！～～～車車夜水也風涼，
我里想仔短來還好想想長；
我里想想前頭格日子過得好勿好？
我里想想後來格日子還有多少長？

啊字極響極長，勞働時唱歌每如此。
好||可。

（甲）啊！～～～車車夜水也風涼，
我想到仔我屋裏格老親娘——

㑚嘸多嘸少都望女兒家裏塞，
㑚勿想想我里老公婆霍浪還要喫飯穿衣裳。

老親娘＝老婦；年老農民都用以自稱其妻。
屋裏，註見次節。
嘸多嘸少＝勿論多少。
望＝往。
塞＝私䝓。
公婆霍浪＝夫妻倆；浪，城廂語轉爲落。

（乙）啊！〰〰車車夜水也風涼，
我想到仔我屋裏格阿大娘——
㑚有六個男女眞正勿好帶，
我里窮人拖仔男女眞孽障：

屋，讀如五曷切，但以屋裏二字連用爲限，房屋住屋之屋，仍讀如惡。

好＝容易。

帶＝撫育。

拖＝爲所累。

孽障＝罪孽。

（丙）啊！～～～車車夜水也風涼，

我想到仔我前頭村浪格大小娘——

我月白竹布布衫末也要送一件你，

且等八月初三城隍廟裏跑節場。

大小娘＝女郎，未嫁者方能有此稱。

浪＝上。

淡白曰月白；月白竹布布衫，是村婦衣服中之漂亮者。

俗以八月初三爲城隍娘娘誕日；廟中昔有梳妝樓，陳城隍夫婦寢具，於是日開放，四鄉觀者盛至。二十年前，此樓燬於火；近又有賣靛致富者，出數萬金重建之。

跑節塲＝趕集。

（丁）啊！——車車夜水也風涼，

我也勿想搶寡婦來也勿想大小娘：

我孤身漢有仔三十千銅錢混身纏，

要我成家末除非皇后娘娘招我做個黃泥膀！

搶寡婦爲鄉間惡俗；有夫死未斂，即逃入城中，向縣署請求立案守寡者，名曰進守節呈子。

孤身漢＝鰥夫；此句是諺語。

成家＝有妻室。

膀＝股，讀上聲。

凡夫死不出嫁，守本姓，而贅一後夫於其家者，曰招黃泥膀。

（戊）

啊！～～你里老看松來大表將！

你里拿我吊田雞來弄別相！

我明朝情願登勒家裏糊塗一大瞎，

再勿上當來車夜水勒乘風涼！

老看松，罵老人之詞，其義不詳。

表將＝表子養；子養疾讀爲將。

車水時，年長者戲弄小孩，疾踏車軸，使其無從下脚，以兩手緊握橫槓，懸身空中，曰吊田雞。

弄別相＝戲弄；別亦作白。

登勒＝在。

糊塗，鼾聲；糊字音如軋烏切。
聰，睡之單位名；自入睡以至於醒，每一次曰一聰：時間長曰大聰，
短曰小聰。

（合）啊！～～～～車車夜水來乘乘涼，
我里 勿想短來也勿想長：
看你 河裏格來船去船都爲仔名勒利，
爲名爲利還勿是夢一塲？

俗傳乾隆帝下江南，登鎮江金山之頂，一老僧指長江問曰，爾知此中有
多少船？帝曰，數不清。僧曰，只有兩只：一名船，一利船。

—16—

第六歌 （情歌）

劈風劈雨打熄仔我格燈籠火，
我走過你門頭躲一躲。
我也勿想你放脫仔棉條來開我，
只要看看你們縫裏格燈光聽你唱唱歌。

劈風劈雨，大風大雨之劈面打來者。
熄，城廂語亦作隱。
燈籠火，燈籠之點火者。
婦女紡紗，如有他事略停，則曰『放一放棉條來』，以必握棉條於手方可紡紗也。

第七歌（女工的歌。一個女子問，一個女子答。）

『我說 隔壁阿姐你爲啥來面皮黃？』

『你阿姐勿曉得我一日到夜做紗忙。
我朝起起來黑曨曨裏就要上工去，
夜裏家來還要替別人家洗衣裳。』

爲啥＝爲何。
人工紡紗曰搖紗，在紗廠中作工曰做紗；以廠中分工，各司一事，不盡紡也。
朝起，亦作早起，朝晨也；起字平讀。
黑曨曨裏，亦作黑黑曨曨，形容天未明之詞。

『我說 隔壁阿姐你爲啥來寔梗忙？』

『你阿姐勿曉得我瘋癱格老子瞎眼格娘
三個兄弟妹子纔還勿曾滿十歲，
一家六口要我一人當！』

寔梗＝如此。

纔，齊字一音之轉，即普通語之都。

當＝擔當。

『我說隔壁阿姐你爲舍來面皮紅？』
『你阿姐勿曉得紗廠裏格先生嬡面孔！
他撈撈搭搭勿曉得要做啥，
我勿采他來他就起哈哄！

先生：工人稱賬房司事之類。

婹面孔＝無耻；面亦作臉。
撈撈搭搭＝動手動脚＝拉拉扯扯；撈字讀陰聲。
起哈哄＝無端起釁；哈字去讀。

他起仔哈哄來要想停我格工，
停仔工來我一家六口只好喫西風！
我勿曉得為倽靠仔十只指頭要嘸飯喫？
為倽來要碗飯喫就要婹面孔？』

要碗飯喫＝要喫碗飯。

—20—

第八歌

（悲歌。縣諺：「只有狠心格老子嘸不很心格娘」，本此作歌。）

只有狠心格老子嘸不狠心格娘，
你看看東村頭浪格李金郎：
金郎里娘倪兩個喫仔朝頓嘸夜頓，
金郎里老子朝朝夜夜睏勒酒缸浪！

嘸不＝無有。
浪＝上。
娘倪＝母子；但稱父子爲耶兒 不稱耶倪。

只有狠心格老子嘸不狠心格娘，

你看看金根汝全格好晚娘：
晚娘打得金根汝全一塊紅來一塊紫，
他老子還『家有賢妻』『家有賢妻』口口又聲聲！

晚娘＝後母；晚，讀如買。
口口聲聲＝言之不已。

只有狠心格老子嘸不狠心格娘，
你看看高和尚娘子淚汪汪：
高和尚格賊胚捏仔三只箬箕團團轉，
和尚娘子嘸穿嘸喫有仔眼淚只好望肚裏汪！

鄉間小兒，每有取名和尚者，謂如此可邀神祐，易於長成，非真和尚也。
賊胚，謂作賊之胚料。

—22—

筲箕，滌米器；鄉間稱男子有一外遇者爲捏（=提）一只筲箕，取其與某二字音似也。

土語謂無可告訴爲有仔眼淚望（=往）肚裏汪。

只有狠心格老子嘸不狠心格娘，

你看看橋頭董事大先生：

大先生一拳一脚打得妻兒男女號淘哭，

只爲仔一個盤缸走索格賤花娘！

號淘，哭聲。

鄉間董事，每喜納外來之賣技女子（盤缸走索者）爲妾，頗有因此喪家者。

第九歌（漁歌）

一網重來一網輕，
一網裏鮮魚十八斤。
一網裏空來魴魤垃圾也嘸不，
只有空網裏落水泠泠泠。

魴魤，一種肉薄而無味之小魚。
垃圾，言水中雜物。

一網重來一網輕，
一網裏鮮魚十八斤。

魚娘來仔末魚兒苦，
魚兒來仔末魚娘也傷心！

一綱重來一綱輕，
一綱裏鮮魚十八斤。
捉着仔鮮魚才能有飯喫，
望你再來一綱格鮮魚十八斤！

一綱重來一綱輕，
一綱裏鮮魚十八斤。
姜太公直鈎子釣魚勿遇文王末要餓殺，

還有呂洞賓喫酒喫肉做仙人！

相傳姜太公直鈎釣魚，『願者上鈎，不願者去。』

呂洞賓三醉岳陽樓，及三戲白牡丹事，爲民間甚普通之傳說。

第十歌

(船歌。三個搖船人互相對答。)

搖一程來撐一程，

碰到仔頂風頂水還要拉一程。

「我說阿銀哥來你看來船頭浪格是那個？」

「啊！原來是喫白酒格朋友小汝生。」

頂風頂水＝逆風逆水；船家稱逆風爲頂頭風；又船家忌用逆字（土語作鎗），故呼順風爲頂艄順，呼逆風爲頂頭順。頂，平讀。

喫白酒＝白喫酒。

「我說汝生哥來你今朝那里來？」

『我末無錫缸尖子讓送仔客人來。』
『我末要送客人上杭州去，
要到仔十二月初頭纔轉來。』

缸尖子讓，當讀無錫音；讓，上也。

『我說小汝生來你櫓前舵來櫓前舵！
你落脫仔你狗魂來嘸耳朶！
你落脫仔你狗魂昏頭昏腦要作死！
你今朝又那里去白喫着仔兩開老白酒！

『櫓前舵』，『櫓後舵』，『推艄』，『扳艄』，均行船術語，兩船相遇時，必彼此高呼之。

—28—

作死＝找死。

開，酒之量名，等於一斤之四分之一；一開適爲一碗，故此名惟熱酒店中用之；若持瓶買酒，則以斤兩計，不以開計也。

我說汝生哥來我里船頭浪相罵末船艄浪講話，

我請你帶個口信和我里娘子說一說：

你說王貴甲長格一千銅錢末快點想法還本利，

你說典當裏格棉襖棉被末等我轉來仔贖！

兩船因駕駛不愼而相撞，雖至好亦必出惡語相罵；但如無甚損傷，轉眼即破罵爲笑，此船家常事，故縣諺曰：「船頭浪相罵，船艄浪講話。」

棉襖棉被於每年十二月中取贖，例不取息。

轉來＝回來。

我說汝生哥來汝生哥，
你年紀輕輕總要少喫酒來少糊塗。
我謝謝你記個口信千定要帶到，
我轉來仔請你喫開素火肉搭搭老白酒！

記＝此。
千定＝千萬。
俗稱花生與豆腐乾同喫爲素火肉。
老白酒，農家自造之酒，亦稱家園老白酒。

—30—

第十一歌（滑稽歌。開首二句是縣諺。）

人比人來比殺人！

人比人來氣殺人！

你里財主人喫飽仔末肚皮浪彈上去像個三白西瓜鼓鼓響，

我里窮人餓仔要死末只好窮思極想把褲帶來束束緊！

三白，西瓜之佳者，言皮白，肉白，子白；驗瓜者每以手指彈瓜，聲音清脆者爲上。

束緊褲帶，土語中形容饑餓之詞；束，讀如出。

人比人來比殺人！

人比人來氣殺人！

你里財主人穿仔羊皮狗皮熱得鼻頭管裏出起血來末還可以請個

郎中來喫貼清涼藥，

我里窮人凍仔要死末只好躲勒門角落裏破席爿裏破棉絮裏阿大

阿二阿三阿四阿大里娘來阿大里老子大家軋軋緊！

人比人來比殺人！

人比人來氣殺人！

你里財主人閑空得生起懶黃病來末還有銅錢買點犁頭喫，

我里窮人喫力仔要死末只好送把閻王伯伯當點心！

俗呼黃病為懶黃病；患此者每取犁頭舊鐵，碾為細末，和酒飲之，其方甚驗。

俗謂人死爲送與閻王作點心，趣語也。

人比人來比殺人！

人比人來氣殺人！

你里財主人家裏 養雞養鴨養豬養狗末都還要把白米喂，

我里窮人家裏 糠也嘸不一把末只好賣男賣女賣夫賣妻賣公賣婆

一齊賣乾淨！

把‖握

人比人來比殺人！

人比人來氣殺人！

你里財主人 死仔末還好整千整萬帶到棺材裏去開三十六爿錢莊

七十二爿當，
我里窮人死仔嘸不私佣送把閻王小鬼末只好自家爬到熱油鍋裏去
必律剝落尋開心！

三十六錢莊，七十二典當，是土語中形容富人之辭。
私佣＝賄賂；私，俗讀如死。

這章歌中所用的很長的句子，是自然詩歌中一種滑稽的方法。 例如元人鄭廷玉的楚昭公雜劇第三折，艄公的嘲歌：『月落烏啼霜滿天，江楓漁火對愁眠，也弗是我裏艄公艄婆兩個倒有五男二女團圓一個屎出子六個弗得眠七個一齊屎出子艎板底下好撐船一撐撐到姑蘇城下寒山寺，夜半鐘聲到客船』第三句有五十四字。 又如英國古時有一章飲酒歌，叫做 Sing, Gentle Butler, balla moy，其第二首的第三句，只是"The pint pot"三個字，後來一樣一樣東西加上去，到第六首的第三句，變爲"The verkin, the gallon pot, the pottle pot, the quart pot, the pint pot," 十四個字的長句：也是同樣的一種滑稽法。

第十二歌（悲歌。做阿婆的這樣說。）

我說新婦小姐 我里手要快來 脚要快，
匆然末 那里搖得出紗來賣？
我說新婦小姐 現在辰光樣樣貴，
我里日子過過眞艱難。

新婦＝媳；阿婆＝姑。 姑稱媳曰新婦小姐；媳稱姑曰阿婆娘娘，或簡爲娘娘，均敬辭。
辰光＝時候；辰，讀如陳。
艱，讀如該。

我說新婦小姐　我里還借仔隔壁錢二阿嫂里一碗飯，
你記歇　就盛一碗去還一還；
我說　我借格辰光是淺淺能格你也勿要撳撳滿，
你順便末要還仔三個頭胎蛋。

錢二阿嫂里＝錢二阿嫂家。
記歇＝此刻。
淺淺能＝不甚滿。
雞第一次所生蛋，曰頭胎蛋，俗謂其滋補力絕大。

我說新婦小姐　你屋浪醬缸勿曾蓋，
今朝夜裏恐怕有雨來；
你順便看一看　我里阿黃爲啥咬，

— 36—

莫怕你後門浪門門勿曾門。

無園庭者，每置醬缸於屋頂。

咬＝吠。

莫怕，即京語之亦許。

我說新婦小姐 昨日子阿順進城你勿曾叫他帶釘鞋傘，

勿曉得他明朝那哼好家來？

我說新婦小姐 明朝落雨 末要來揀豆種，

明朝天好 末 還有醃菜要晒晒。

那哼＝如何。

家來＝回來。

豆種＝豆之種子；須選肥大結實之豆爲之。

我說新婦小姐 我里二囝勒家裏末手也快來腳也快：

她一日織仔兩個長頭布末還燒仔蒔秧飯！

那里勿曉得 做阿婆格總是嘸不良心格，

還憎嫌她記樣慢來過樣慢。

囝，讀如男字之去聲，女兒也，亦用作女孩之專名，而以其行次冠之。

人工織布，有長頭（長四丈二尺）短頭（一丈六尺）之分；織長頭布者，每日至多兩個（＝疋），尚不能兼做他事。

蒔秧時，每日須備六餐，且須盛饌，農家婦女必終日在廚下烹飪。

記＝這；過＝那。

我說新婦小姐 我里二囝末曉得仔過日子難：

她記樣也嫑買來過樣也嫑買。

我說新婦小姐 我里下月初十還要換小會，

—38—

你說你要打只銀元寶針 末 也就省省罷！

小會＝積錢會，其積錢總數不甚大者；捵＝付錢，此爲積錢會中專有之字，讀如天。

罷，讀如敗。

我說新婦小姐 我里人家難做 來 容易敗，

你新婦小姐又勿是夜摸眼；

你兩根頭燈草點得焜焜响，

你要曉得棉油豆油總要銅錢買。

夜摸眼，謂一種眼病，夜間看物不能淸楚者；但有時亦稱近視眼爲夜摸眼。

焜焜響，火光極明狀。

我說新婦小姐 我 末 總當你自家男女待，

我末先去睏一歇來你也勿要磨得太嫌晏：
你搖到仔三更半天末也就去睏，
明朝聽見雞啼就起來。

一歇＝一下子。
太嫌＝太。
晏，讀如愛。

＊　＊　＊　＊　＊

人家末說我有福氣來有福氣，
我末一日到夜費煞仔嘴脣皮！
我省下仔三個五個來末原是他里格，
我橫下來仔末又帶勿到棺材裏！

費煞嘴唇皮＝舌敝唇焦。
三個五個＝三個五個錢。
橫下來＝死。

我想想 我過歇格阿婆末眞眞狠，
我想想 ——二囝格阿婆末也是柳樹精：
人有仔良心 末 狗也勿喫屎，
我待她好仔 末 她倒一樣也勿聽。

過歇＝那時。
柳樹精，罵女人之辭，猶言妖怪。
『人有良心，狗勿喫屎』，是諺語。

她像算盤珠珠撥一撥來動一動；
她來仔三年末也勿曾養一個羹飯種：
我看見別人家格新婦總比我格好，
我白米飯沃仔死狗末想想也肉痛！

土語以算盤珠珠云云形容蠢人。
種，即傳種之種；言羹飯，謂其能以羹飯奉祀祖宗。　稱子爲羹飯種，乃十分隆重語，但同時亦可用爲咒罵語。
白米飯沃死狗，罵人語，言其飽食無用。以肥料加於植物曰沃，故糞曰沃釀。死狗不能生長，而以白米飯沃之，其爲肉痛(＝捨不得)可知。

—42—

第十三歌（滑稽歌。酒鬼這樣說。）

我說老酒喫喫末有三樣好：
第一樣好來酒格味道好，
第二樣好來一口一口喫喫好，
第三樣好末就是寔梗好！

味道＝味。
寔梗＝如此。

我說我今朝還𣍐喫醉，
要我喫醉再喫三百杯。

我說 你里老子鴉片呼呼像個活死人！
諾你格娘 來 你格娘是偸飯鬼！

呼呼＝抽抽＝吸。
諾你格娘，罵人話、諾字不知何義。

哈哈哈哈 阿四保長你原來是三百屁股一面枷！
哈哈哈哈 我勿敲他菱殼 末 也要找找價：
我明朝掮扇板門死到他家裏去，
他勿請我喫酒 末 也要喫點肉。

保長＝地保。
三百屁股一面枷，是嘲笑保長之普通語；以此種微刑，爲保長者每月必受一二次也。

—44—

以地產賣於人，越若干時復要求加價曰找價；屢找不已，曰敲菱殼。
掮板門至人家睡下，曰我在此處死，乃是鄉間敲菱殼者之慣技。

我說你試試看來試試看！
我勿怕天來勿怕官！
你喫耶穌末我就喫天主，
哈哈哈哈你里一隻雄雞倒有九斤半。

信敎曰喫敎！敎士干涉詞訟，縣令聽命惟謹，故有此信耶穌，彼信天主，以互相抵制者。

哈哈哈哈白馬廟裏格戲倍好看？
紅面白面打得團團轉。
你乙曉得潘金蓮結識仔海和尙？

你乙曉得白蛇娘娘養個白狀元？

倯＝有何。
紅面云云，是縣諺，言不懂戲文者看戲，但見紅面白面相打而已。

你乙曉得斗米十肉格豬八戒？

你乙曉得八仙裏頭有個孫行者？

你乙曉得劉坤一是忠臣張之洞要造反？

你乙曉得正命天子是袁世凱？

孫行者之者讀如斬，餘仍讀如字。
縣中每稱劉坤一爲忠臣，不知何故。至斥張之洞要造反，則因某年正月，張到江陰看操，向商民索借若干萬，有不允則縱兵搶掠之說，於是縣民大駭，逃避一空；後亦無事。此事在二十五年前，時余尚幼，不知其內幕如何。

哼！～～～你黃奎郎殺豬白刀進去紅刀出！
你奎郎娘子喫飽仔零碎肉！
我說 我里親兄弟末總要勤算賬，
我欠你三百三來你欠我六百六！

白刀進，紅刀出，是指斥屠戶之慣用語。
零碎肉，屠戶賣餘之碎肉。
親兄弟勤算賬，是諺語。

哈哈哈哈 我替我里狗郎娘買着三尺鞋面布，
你你你你 湯老五傖仔家老婆格裹脚襪套頭送把野老婆！
我我我我里 再到老長豐去喫三碗，
喫醉仔家去打打打老婆！

鞋面布=做鞋面所用布。
家老婆=妻；野老婆=外遇。
裹脚=纏脚布。
襪套頭=女襪。

噉~~~勿打老婆勿算男子漢！
你說我勿敢打末 我就打把你看！
哈哈哈哈 喫仔口酒身上倒有點熱烘烘，
讓我田岸頭浪[illegible]聰看。

烘烘，熱之形容詞，去讀。

—48—

第十四歌（情歌）

你叫王三妹來我叫張二郎，
你住勒村底裏來我住勒村頭浪。
你家裏滿樹格桃花我抬頭就看得見，
我還看見你洗乾淨格衣裳晾勒竹竿浪。

勒=在。
晾，讀如浪。

第十五歌（失望的歌）

姐倪姐倪十指尖，
尖尖楚楚數銅錢。
你扳仔指頭數一數一年共總有多少日？
多少日苦來多少日甜？

姐倪姐倪十指尖，
尖尖楚楚數銅錢。
我一五一十數得一年共是三百六十日，

一半苦來一半甜。

一半苦來一半甜，
那里一半苦來那里一半甜？
睏着格一半甜來醒格一半苦，
要勿苦來泥團裏一聰睏千年！

第十六歌（情歌）

你聯竿搵搵乙是搵格我？
我看你殺毒毒格太陽裏打麥打得好罪過！
到仔幾時一日我能夠來代替你打？
你就坐勒樹陰底下紮紮鞋底唱唱歌。

聯竿，打麥器；竿，讀如該。　搵，招也。以聯竿打麥，狀如招手。
殺毒毒，言陽光之酷熱。
罪過＝可憐；罪，讀如在。
紮鞋底，是鄉間婦女無事時之消閑工作；故有在農隙中紮就鞋底數十雙，以供全家一年之用者。

—52—

第十七歌（情歌）

五六月裏天氣熱旺旺，
忙完了勺麥又是蒔秧忙。
我蒔秧勺麥嘸不你送飯送湯苦，
你田岸浪一代一代跑跑跑得脚底乙燙？

勺麥＝刈麥。
勺麥蒔秧，是農家最忙時。
嘸不＝不及。
一代一代＝一次一次。
乙＝普通語之可，疑問辭；或讀如曷，或如火。

第十八歌（牧歌）

亮月彎彎照九州，
九州之外還有第十州。
黃牛水牛你聽我說：
我姓吳來姐姓周。

亮月彎彎照世人，
一人肚裡一條心。
黃牛水牛你聽我說：

我格心來就是姐格心。

亮月彎彎照八方，
一方成熟一方荒。
黃牛水牛你聽我說：
我情願姐田裡熟來我自家田裡荒。

亮月彎彎照仔姐伲家，
我勿曉得姐伲勒浪家裡做點舍佮？
黃牛水牛請你搭搭角，
把我馱過仔千山萬海去望她。

勸浪‖在。
牧兒騎牛時，呼曰搭角，牛即俯首，以一角近地，牧兒乃以一足踏角，緣頸而上。
望‖探視。

—56—

第十九歌（情歌）

河邊浪 阿姐你洗格倽衣裳？

你一泊一泊泊出情波萬丈長。

我隔仔綠沈沈格楊柳聽你一記一記搗，

一記一記 一齊搗勒篤 我心浪。

一記一記〃一下一下。

勒篤〃在。

第二十歌 （情歌）

你乙看見水裏格遊魚對挨着對？
你乙看見你頭浪格楊柳頭並着頭？
你乙看見你水裏格影子孤零零？
你乙看見水浪圈圈一幌一幌幌成兩個人？

—58—

第二十一歌 (情歌)

小小里橫河一條帶，
河過邊小小里青山一字排。
我牛背上清清楚楚看見山坳裏，
竹籬笆裏就是 妣家格小屋兩三間。

小小里＝小小的。
過邊＝那邊＝彼岸。

後語

這一本小唱本出世，我在感謝替我看稿子的周啓明先生之外，還有兩個最親愛的朋友，也應當致謝：一，是我妻蕙英夫人，我稿子裏，有好多處在方言上不甚妥洽的，是她指正修改的；二，是我的女兒小蕙，我每做成一歌，便唱給她聽，她總問，『這是眞的？是假的？』而且要求我接續着唱，不許停歇——沒有這簡單而有力的鼓勵，亦許這書竟做不成。

劉復。一九二六年二月，北京。

手攀楊柳望情哥詞

因爲二十年來，我居住江陰的時候很少，所以要採集江陰的民歌，也就苦着沒有很多的機會。七年前採到了二十首船歌，已由常維鈞君代在歌謠週刊第二十四期發表。去年冬季，又採到了短歌三四十首，長歌兩首，至今還沒有工夫整理出來。希望將來能於採集得更多些，可以合起來刻成一本專集。現在只就已有各歌中，把幾首最有趣味的先行選出付印（就用第一歌的第二句做個總名）。其中「姐勒窗下洗衣裳」一歌，原本共有六章，今只取首章爲第六歌，末章爲第七歌；又「手捏櫓索三條彎」一歌，原本有四章，今只取首章爲第十八歌。這種割裂的辦法，若用民俗學者的眼光看去，自然是萬分不妥。但若用品評文藝的眼光看去，反覺割裂之後，愈見乾淨漂亮，神味悠然；因爲被割諸章，都拙劣討厭，若一併寫上，不免將好的也要拖累得索然無味了。至於將來將所採各歌全體匯印時，這種辦法是當然不能用的。

一九二六年四月十日劉復識於北京。

第一歌

結識私情隔條河，
手攀楊柳望情哥。
娘問女兒『你勒浪望倷個？』
『我望水面浪穿條能梗多！』

結識＝私識。
勒浪＝在彼。
倷個＝什麽。
穿條，一種小魚名。
能梗，猶言如許。

第二歌

梔子花開十六瓣，
洋紗廠裏姐倪捱只討飯籃！
情阿哥哥問我『喫格倷個菜？』
『我末喫格油氽黃豆茶淘飯。』

阿，助語詞，無所取義。
氽，俗字，浮也，讀如吞上聲；此言炸。
淘，澆也。

—64—

第三歌

山歌勿唱忘記多，
官堂大路勿走草滿窠，
快刀勿用雙鎈銹，
私情勿做兩荒疏。

說荒疏來話荒疏，
荒疏城裏兩條河；
一條河裏裝柴米，

一條河裏唱山歌。

—66—

第四歌

郎關姐來姐關郎，
鑰匙關鎖鎖關簧。
鑰匙常關三簧六葉襄陽鎖，
姐倪常關我情郎。

襄陽，亦作相思。

第五歌

隔河望見野花紅，
想要拗花路勿通。
等到路通花要謝，
苗籃裡水一塲空。

拗，折也。
苗籃，筐也。
捏，提也。

第六歌

姐勒窗下洗衣裳，
雲遮月暗路難行。
遠望高樓一燈火，
輕輕咳嗽兩三聲。

第七歌

情哥郎你要出香房，
眼淚汪汪落胸膛。
我郎好像脫線鷂子央央去，
勿知落勒倽村方。

鷂子，紙鳶也。
脫線鷂子，謂紙鳶之斷線者。

第八歌

山歌越唱越好聽，
詩書越讀越聰明，
老酒越陳越好喫，
私情越做越恩情。

第九歌

我十七十八正要偸，
那怕你爹娘睏勒脚跟頭。
大麥上塲壳帳打，
韭菜逢春匡割頭。

那怕你＝即令。
脚跟頭＝脚邊。
壳帳＝抵配＝預備。
匡，義同壳帳，而語氣更强：如言「匡死喫河豚」，拚死喫河豚也；「匡性捨命」，拚性捨命也。

第十歌

天上只有半個頭亮月嘸不半個頭星，
地下嬌娘能有幾個貞。
那個閨女不偸漢，
那家貓倪勿喫葷。

第十一歌

山歌越唱越新鮮，
柿子經霜蜜能甜，
甜菜經霜紅苗嫩，
小姐經郎轉少年。

蜜能，猶言如蜜。
紅苗二字不解。

—74—

第十二歌

十八歲姐倪結識十六歲格郎，
對門姐倪來搶行：
「你有郎勿曉得我嘸郎苦，
大熟年成也有隔壁荒。」

搶，平讀。 行，讀如杭。 搶行謂同業相競，此言爭愛。

第十三歌

山歌要唱好私情，
買肉要買坐臀精，
摸奶要摸十七八歲蓮蓬奶，
關嘴要關彎眉細眼紅嘴唇。

關嘴，謂親嘴。

第十四歌

新打大船出大蕩，
大蕩河裏好風光。
船要風光雙支櫓，
姐要風光結識兩個郎。

打＝製造。
蕩，瀦活水處，小於湖，大於池，去讀。
大蕩河＝大河；蕩字平讀。

第十五歌

搖一櫓來拉一綳，
追著你前船一同行。
你前船裝格是孟姜女，
我後船就是范杞良。

綳＝櫓索。

第十六歌

郎唱山歌啞⿰口胡嚨，
自小貪花擯仔風。
我小阿囝梳妝臺上有一六二一六六六三十六個生雞蛋，
送把情哥喫仔亮⿰口胡嚨。
亮⿰口胡嚨來亮⿰口胡嚨，
山西唱歌應山東。

⿰口胡嚨＝喉嚨。

擯讀如 p'ang 去聲，爲風雨所打也。
應，響應也。

—8C—

第十七歌

豆腐店姐倪會賺錢，
黃昏浸豆五更牽。
雪白篤篤格豆腐撩勒郎籃裏，
細眉花眼接郎錢。

會＝能，讀如畏。
賺，讀如在。
牽，磨磨也。
撩＝從水中取出。

第十八歌

手揑櫓索三條彎，
好一朵鮮花在河灘。
『搖船阿哥火要採朵鮮花去？』
『採花容易歇船難。』

揑＝握。
火要＝可要。

第十九歌

山歌好唱口難開，
櫻桃好喫樹難栽，
白米飯好喫田難種，
鮮魚湯好喫綱難抬。

抬，謂舉網。

中國民歌的價值

（劉半農編江陰船歌的序文）

周作人

今年八月間，半農從江陰到北京，拏一本俗歌給我看，說是在路上從舟夫口裏寫下來的。這二十篇歌謠中，雖然沒有很明瞭的地方色彩與水上生活的表現，但我的意思卻以爲頗足爲中國民歌的一部分的代表，有蒐錄與研究的價值。

民歌（Volkslied, Folksong）的界說，據英國 Frank Kidson 說，是生于民間，並且通行民間，用以表現情緒或抒寫事實的歌謠（英國民歌論第一章）。中國敘事的民歌只有孔雀東南飛與木蘭等幾篇，現在流行的多半變形，受了戲劇的影響，成爲唱本。抒情的民歌有子夜歌等不少，但經文人收錄的，都已大加修飾，成爲

—84—

文藝的出品，減少了科學上的價值了。「民間」這意義，本是指多數不文的民衆；民歌中的情緒與事實，也便是這民衆所感的情緒與所知的事實，無非經少數人拈出，大家鑒定頒行罷了。所以民歌的特質，並不偏重在有精彩的技巧與思想，只要能眞實表現民間的心情，便是純粹的民歌。民歌在一方面原是民族的文學的初基，倘使技巧與思想上有精彩的所在，原是極好的事；但若生成是拙笨的措詞，粗俗的意思，也就無可奈何。我們稱贊子夜歌，仍不能蔑視這舟夫的情歌：因爲這兩者雖是同根，現在却已分開，所以我們的態度也應該不同了。

抒情的民歌中，有種種區別，田間的情景與海邊不同，農夫與漁人的歌也自然不同。中國的民歌未經收集，無從比較；但據我在故鄉所見，民衆的職業雖然有別，倘境遇不甚相遠，歌謠上也不發生什麼差異。農夫唱的都是一種「鸚哥戲」的斷片，各種勞動者也是如此；這鸚哥戲本是墮落的農歌，加以扮演的名稱，也就是「秧歌」的轉訛：這一件小事，很可以說明中國許多地方的歌謠，何以沒有明瞭的特別色彩，與思想言語免不了粗鄙的緣故。

民歌的中心思想，專在戀愛，也是自然的事。但詞意上很有高下，凡不很高明的民歌，對於民俗學的研究，雖然一樣有用，從文藝或道德說，便不免有可以非難的地方。紹興「秧歌」的扮演，至於列入禁令，江浙通行的印本「山歌」，也被排斥；這冊中所選的二十篇，原是未經著錄的山歌，難免也有這些缺點。我想民

—86—

間的原人的道德思想，本極簡單，不足爲怪；中國的特別文字，尤爲造成這現象的大原因。久被蔑視的俗語，未經文藝上的運用，便缺乏了細膩的表現力；簡潔高古的五七言句法，在民衆詩人手裏，又極不便當，以致變成那種幼稚的文體，而且將意想也連累了。我看美國何德蘭（Headland）的孺子歌圖，和日本平澤平七（H. Hirazawa）的臺灣之歌謠中的譯文，多比原文尤爲明瞭優美，這在譯界是少有的事，然而是實在的事：所以我要說明，中國情歌的壞處，大半由於文詞的關係。倘有人將他改作如妹相思等，也未始不可收入古人的詩話；但我們所要的是「民歌」，是民俗研究的資料，不是純粹的抒情或敎訓詩，所以無論如何粗鄙，都要收集保存。半農這一卷的江陰船歌，分量雖少，却是中國民歌的學術的采集上第一次的成績。我們欣幸他的成功，還要希望此後多有這種撰述發表，使我們能夠知道「社會之柱」的民衆的心情，這益處是溥遍的，不限於研究室的一角的；所以我雖然反對用賞鑒眼光批評民歌的態度，却極贊成公刊這本小集，做一點同國人自己省察的資料。

中華民國八年九月一日。

七年前，我從舟人口中採到了二十首民歌，本來打算定名爲江陰船歌，印成一個單行小本，所以請啓明做了這一篇序。後來因爲我忙着出國，印書的事暫時擱起，這一篇序就在學藝上發表了。現在我已改變計劃，希望將來能將本鄉民歌採集到近於完備的時候，然後出一匯編；目前却只從這二十首船歌中選出幾首，加上去年所採得的民歌中所選出的十幾首，附刻於瓦釜集之後。因此這一篇文章，在事實上已不能做得序，只能算作一篇附錄了。

這一篇文章是就着民歌的全體說話的，而我現在的一個小選錄，却完全偏重於文藝的欣賞。因此粗粗一看，似乎啓明的意見，與我不同。其實啓明也正是一個『民歌的文藝』的欣賞者，看他在螺陀中所譯的外國民歌，可以概見。而我，假使要我離開了文藝方面，改從民俗，語言，聲樂諸方面來研究歌謠，恐怕我能說的話，也只能替啓明這一篇文章做些註解罷了。

我以為若然文藝可以比作花的香，那麼民歌的文藝，就可以比作野花的香。要是有時候，我們被纖麗的芝蘭的香味薰得有些膩了，或者是尤其不幸，被戴春林的香粉香，或者是 Coty 公司的香水香，薰得頭痛得可以，那麼，且讓我們走到野外去，吸一點永遠清新的野花香來醒醒神罷。

劉復　一九二六，四，一一。

一九二六年三月付印
一九二六年四月初版

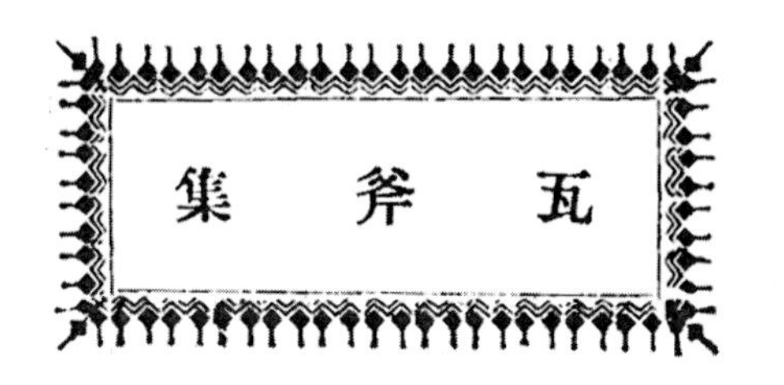

著者 劉復
發行者 北新書局
一冊實價大洋四角

如是叢書

▲**揚鞭集**

這是劉半農先生的詩歌小品集，其中有一部分已在新青年新潮及語絲等有名刊物上發表過，其價值大家都已知道，用不著我們再來介紹。全書分訂三冊，每冊實價四角五分。

▲**太平天國有趣文件十六種**

這些文件，都是劉半農博士從倫敦博物院中抄出的。雖只小小一本，却是極重要的史材。便是不研究史學的人買本看看也是極好的消遣品，因為其中有幾篇上諭，可以教人看一句笑一個前仰後合。每部實價大洋二角

▲**何典** 劉半農校點 錢玄同作序

這部書是吳稚暉先生的老師，吳先生曾說「我讀他開頭兩句便打破了要做陽湖派古文家的迷夢，說話自由自在得多，他那開頭兩句，便是放屁放屁眞眞豈有此理，用這種精神纔能享言論的眞自由，享言論的眞幸福。」本書價值由此可見一斑。每部實價五角。

▲**燉煌掇瑣** 出版預告

這是一部有永遠的價值的書：本局特聘名工，精雕木板印行。刻已開雕，約五個月內可以完工。另有詳細目錄及樣張等，不日可以印出。

揚鞭集（上）

劉半農 著

北新書局一九二六年六月出版。原書大三十二開。

揚鞭集
上

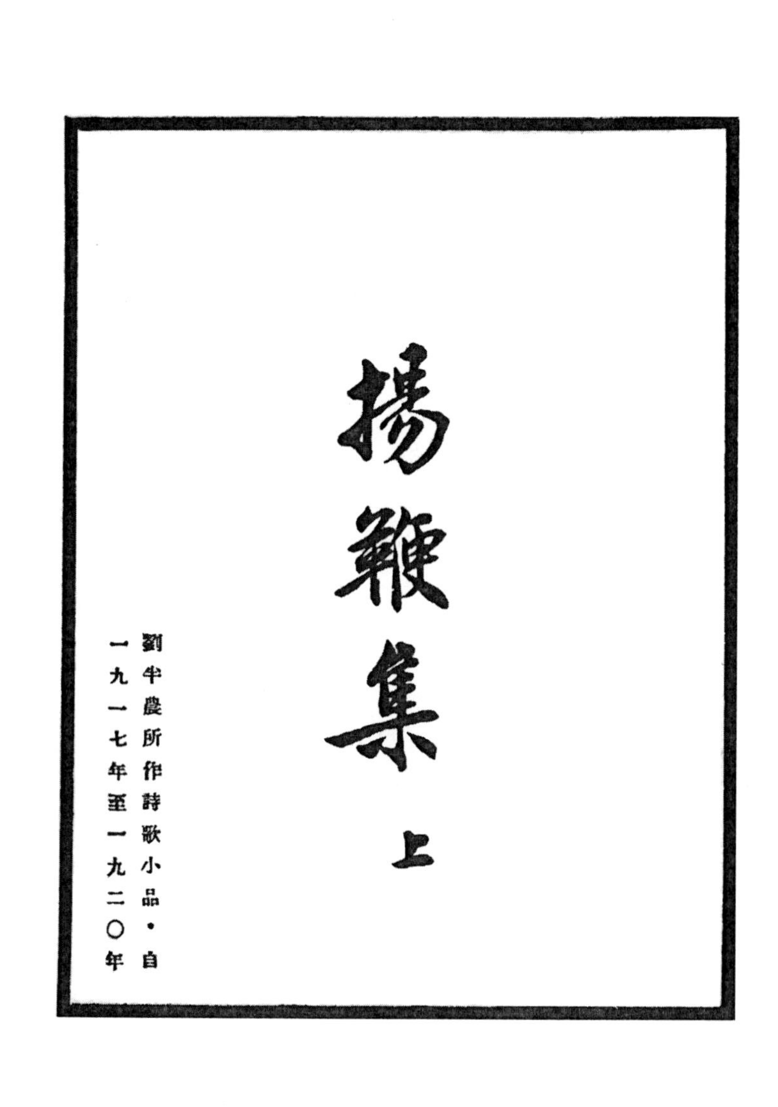

揚鞭集 上

劉半農所作詩歌小品・自
一九一七年至一九二〇年

一九二六年北京北新書局印

序

半農的詩集將要出板了，我不得不給他做一篇小序。這並不是說我要批評半農的詩，或是介紹一下子，我不是什麼評衡家，怎麼能批評，我的批評又怎麼能當作介紹：半農的詩的好處自有詩在那里作證。這是我與半農的老交情，使我不得不寫幾句閒話，替他的詩集做序。

我與半農是新青年上做詩的老朋友，是的，我們也發謬論，說廢話，但做詩的興致却也的確不弱，新青年上總是三日兩頭的有詩，半農到歐洲去後也還時常寄詩來給我看。那時做新詩的人實在不少，但據我看來，容我不客氣地說，只有兩個人具有詩人的天分，一個是尹默，一個就是半農。尹默早就不做新詩了，把他的詩情移在別的形式上表現，一部秋明集裏的詩詞即是最好的證據。尹默覺得新興的口語與散文格調不很能親密地與他的情調相合，于是轉了方向去運用文言，但他是駕御得住文言的，所以文言還是聽他的話，他的詩詞還是現代的新詩，牠的外表之所以與普通的新詩稍有不同者，我想實在只是由于內含的氣分略有差異的緣故。半農則十年來只做新詩，進境很是明瞭，這因爲半農駕御得住口語，所以有這樣的成功，大家只須看揚鞭集便可以知道這個情實。天下多詩人，我不想來肆口抑揚，不過就我所熟知的新青年時代的新詩作家說來，上邊所說的話我相信是大抵確實的了。

我想新詩總是要發達下去的。中國的詩向來模仿束縛得太過了，當然不免發生劇變，自由與豪華的確是新的發展上重要的原素，新詩的趨向所以可以說是很不錯的。我不是傳統主義（Traditionalism）的信徒，但相信傳統之力是不可輕侮的；壞的傳統思想自然很多，我們應當想法除去他，超越善惡而又無可排除的傳統卻也未必少，如因了漢字而生的種種修詞方法，在我們用了漢字寫東西的時候總是擺脫不掉的。我覺得新詩的成就上有一種趨勢恐怕很是重要，這便是一種融化。不瞞大家說，新詩本來也是從模仿來的，牠的進化是在于模仿與獨創之消長，近來中國的詩似乎有漸近于獨創的模樣，這就是我所謂的融化。自由之中自有節制，豪華之中實含清澀，把中國文學固有的特質因了外來影響而益美化，不可只披上一件呢外套就了事。這或者是我個人的偏見也未可知，我總覺得藝術這樣東西雖是一種奢侈品，但給予時常是很吝嗇的，至少也決不浪費。向來的新詩恐怕有點太浪費了，在我這樣舊人——是的，我知道自己是很舊的人，有好些中國的藝術及思想上的傳統佔據著我的心——看來，覺得不很滿意，現在因了經驗而知稼穡之艱難，這不能不說是文藝界的一個進步了。

新詩的手法我不很佩服白描，也不喜歡嘮叨的敘事，不必說嘮叨的說理，我只認抒情是詩的本分，而寫法則覺得所謂『興』最有意思，用新名詞來講或可以說是象徵。讓我說一句陳腐話，象徵是詩的最新的寫法，但也是最舊，在中國也『古已有之』，我們上觀國風，下察民謠，便可以知道中國的詩多用興體，較賦與比要更普通而成就亦更好。譬如桃之夭夭一詩，既未必是將桃子去比新娘子，也不是指定桃花開時或是種桃子的家裏有女兒出嫁，實在只因桃花的濃豔的氣分與婚姻有點共通的地方，所以用來起興，但起興云者並不是陪襯，乃是也在發表正意，不過用別一說法罷了。中國的文學革命是古典主義（不是擬古主義）的影響，一切作品都像是一個玻璃球，晶瑩透澈得太厲害了，沒有一點兒朦朧，因此也似乎缺少了一種餘香與迴味。正當的道路恐怕還是浪漫主義，——凡詩差不多無不是浪漫主義的，而象徵實在是其精意。這是外國的新潮流，同時也是中國的舊手法；新詩如往這

——一九二六年

一路去，融合便可成功，眞正的中國新詩也就可以產生出來了。

我對于中國新詩曾搖旂吶喊過，不過自已一無成就，近年早已歇業，不再動筆了，但暇時也還想到，略有一點意見，現在乘便寫出，當作序文的材料，請半農加以指教。

民國十五年五月三十日，周作人，于北京。

自序

我今將我十年以來所作所譯的詩歌小品，删存若干首，按時期先後編爲一集，即用第一首詩第一二兩字定名爲『揚鞭』。

我不是個詩人。詩人兩字，原不過是做詩的人的意思。但既成了一個名詞，就不免帶着些『職業的』臭味。有了這臭味，當然就要有『爲做詩而做詩』的機會，即是『榨油』『絞汁』的機會，而我却並不如此。我可以一年半年不做詩，也可以十天八天之內無日不做詩。所以不做，爲的是沒有感想；所以要做，爲的是有了感想肚子裏關熬不住。

有時我肚子裏有了個關熬不住的感想，便把什麼要事都擱開，覺也睡不着，飯也不想喫——老婆說我發了痴，孩子說我着了鬼——直到通體推敲妥貼，寫成全詩，才得如夢初醒，好好的透了一口氣。我的經驗，必須這樣做成的詩，然後在當時看看是可以過得去，回頭看看是也還可以過得去。至於別人看了如何，却又另是一件事。

請別人評詩，是不甚可靠的。往往同是一首詩。給兩位先生看了得到了兩個絕對相反的評語，而這兩位先生的學問技術，却不妨一樣的高明，一樣的可敬。例如集中『鐵匠』一詩，尹默啓明都說很好，適之便說很壞；『牧羊兒的悲哀』啓明也說很好，孟眞便說『完全不知說些什麼！』

原來做詩只是發抒我們個人的心情。發抒之後，旁人當然有評論的權利。但澈底的說，他們的評論與我的心情，究竟有得什麼關係呢？

一九二六年

我將集中作品按照時期先後編排，一層是要借此將我十年以來環境的變遷與情感的變遷留下一些影子；又一層是要借此將我在詩的體裁上與詩的音節上的努力，留下一些影子。

我在詩的體裁上是最會翻新鮮花樣的。當初的無韻詩，散文詩，後來的用方言擬民歌，擬『擬曲』，都是我首先嘗試。至於白話詩的音節問題，乃是我自從一九二〇年以來無日不在心頭的事。雖然直到現在，我還不能在這上面具體的說些什麼，但譬如是一個瞎

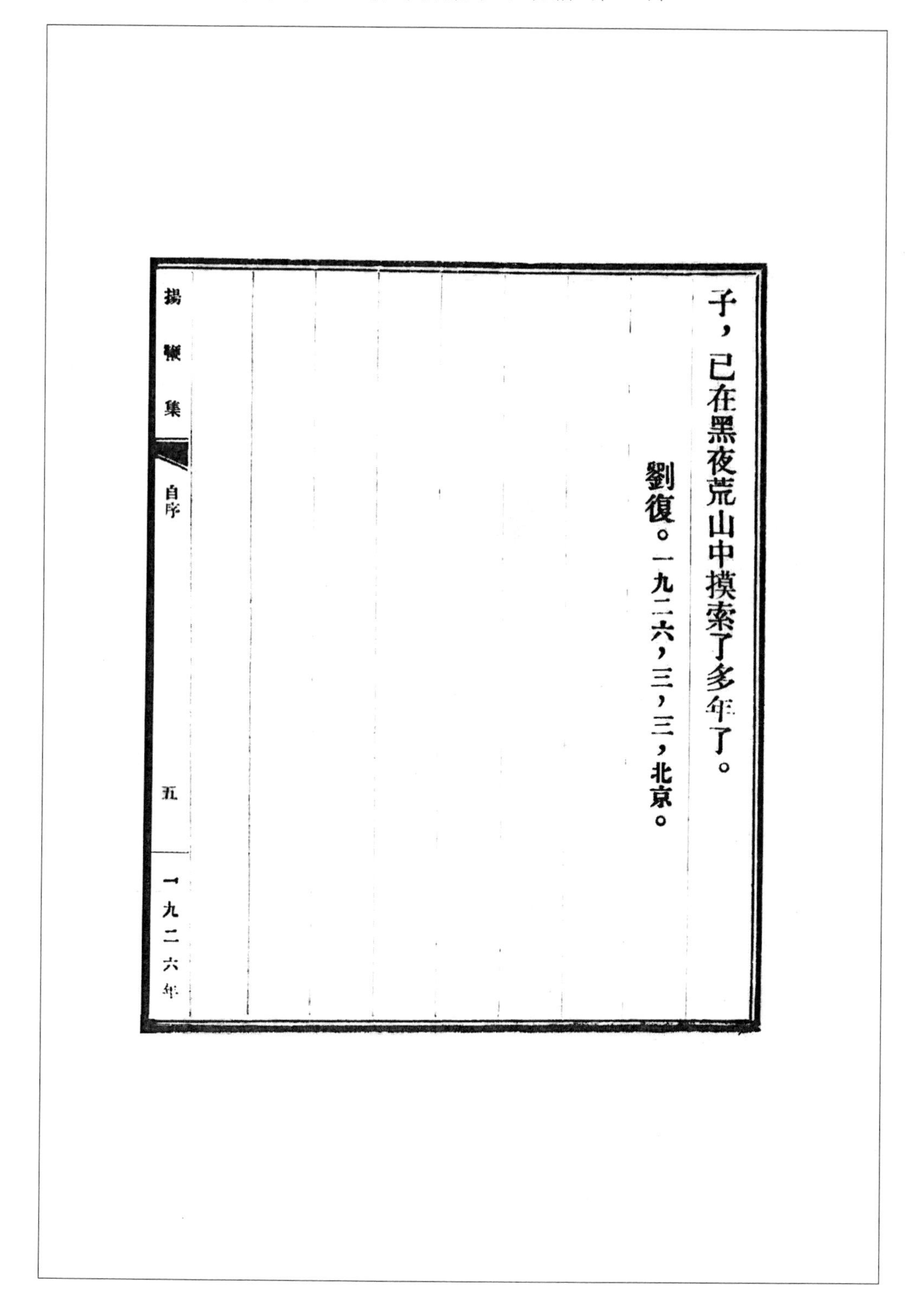
子，已在黑夜荒山中摸索了多年了。

劉復。一九二六，三，三，北京。

揚鞭集 自序 五 一九二六年

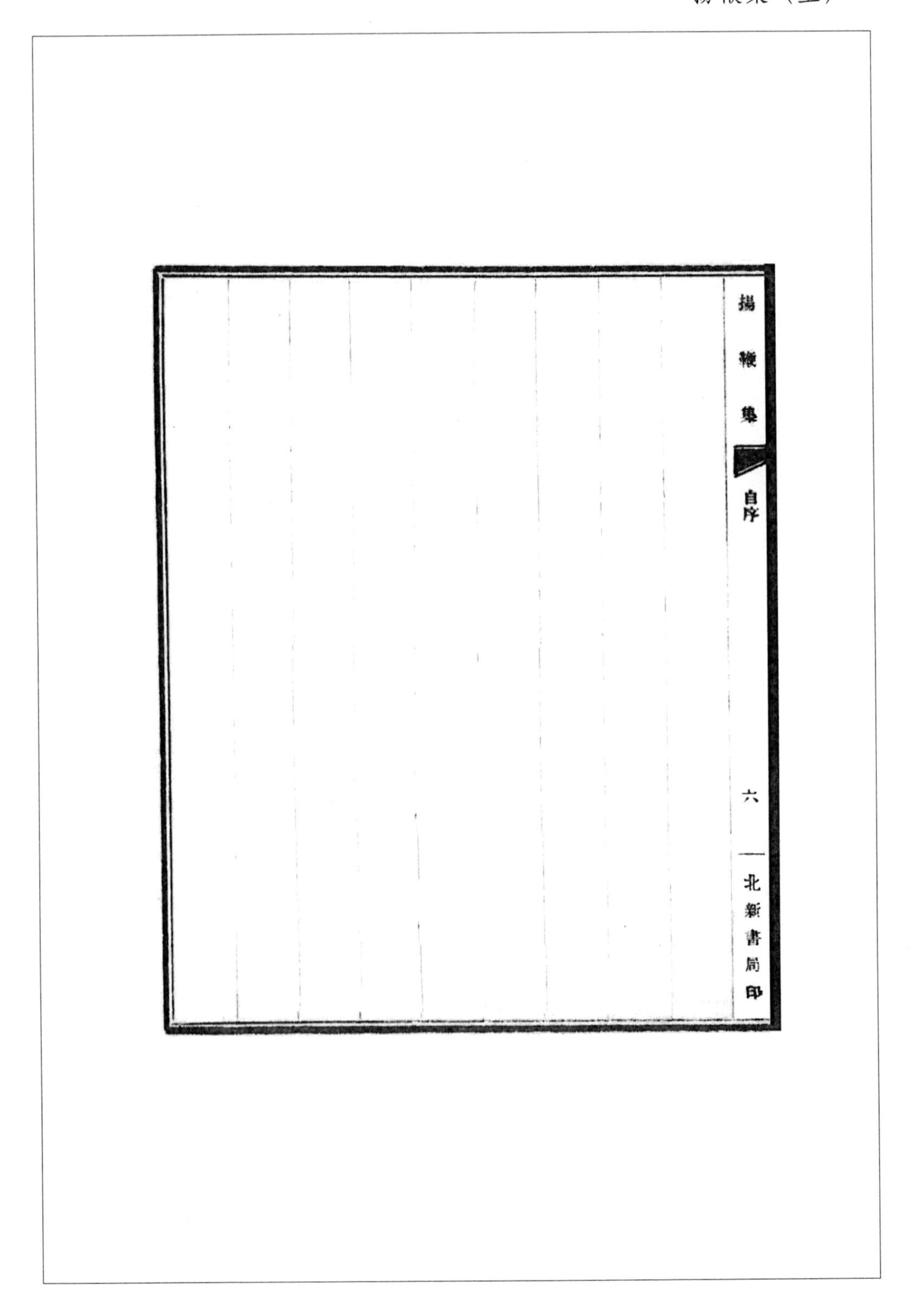
揚鞭集 自序 六 北新書局印

揚鞭集目次

卷上 自一九一七至一九二〇

以上一九一七

揚鞭集 目次 一 一九二六年

北新書局印

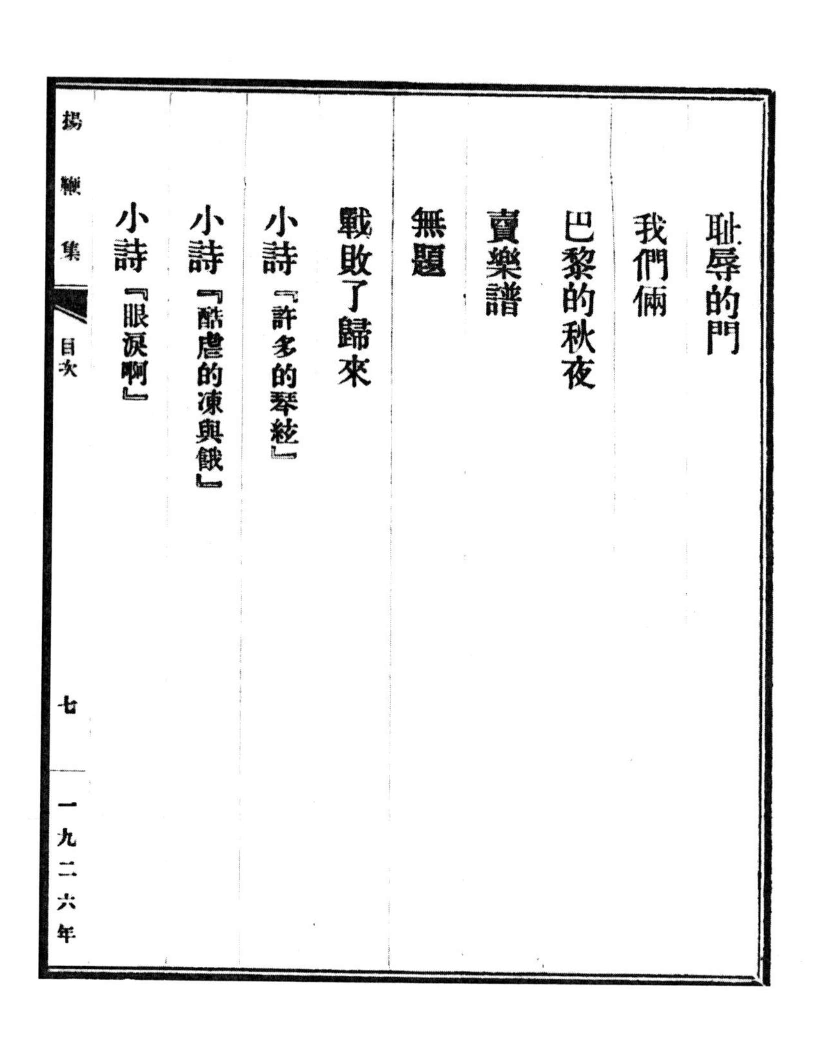

北新書局印

游香山紀事詩（三十首存十）

○一

揚鞭出北門，心在香山麓。
朝陽浴馬頭，殘露濕馬足。

○二

古刹門半開，微露金身佛。
頹唐一老僧，當窗縫破衲。
小僧手紙鳶，有線不盈尺。

遠見行客來，笑向天空擲。

（注）此詩用江陰鄉音叶韵。

○三

古墓傍小橋，橋上苔如洗。
牽馬飲清流，人在清流底。

○四

一曲橫河水，風定波光靜。
泛泛雙白鵝，蕩碎垂楊影。

○五

場上積新芻，屋裏藏新穀。
肥牛繫場頭，搖尾乳新犢。
兩個碧蜻蜓，飛上牛兒角。

。六

網畔一漁翁，閒取黃烟吸。
此時入網魚，是笑還是泣？

。七

白雲如溫絮，廣覆香山巔，
橫亙數十里，上接蒼冥天。

今年秋風厲，棉價倍往年。
願得漫天雲，化作鋪地棉。

。八

曉日逞嬌光，草黃露珠白，
晶瑩千萬點，黃金嵌鑽石。
金鑽誠足珍，人壽不盈百。
言念露易晞，愛此『天然飾』。

。九

漁舟橫小塘，漁父賣魚去。

漁婦治晨炊，輕烟入疏樹。

十。

公差捕老農，牽人如牽狗。

老農喘且噓，負病難行走。

公差勃然怒，叫囂如虎吼。

農或稍停留，鞭打不絕手。

問農犯何罪，欠租才五斗。

（一九一七，八月，江陰）

相隔一層紙

屋子裏攏着爐火，
老爺分付開窗買水果，
說「天氣不冷火太熱，
別任它烤壞了我。」
屋子外躺着一個叫化子，
咬緊了牙齒對着北風喊「要死」！
可憐屋外與屋裏，

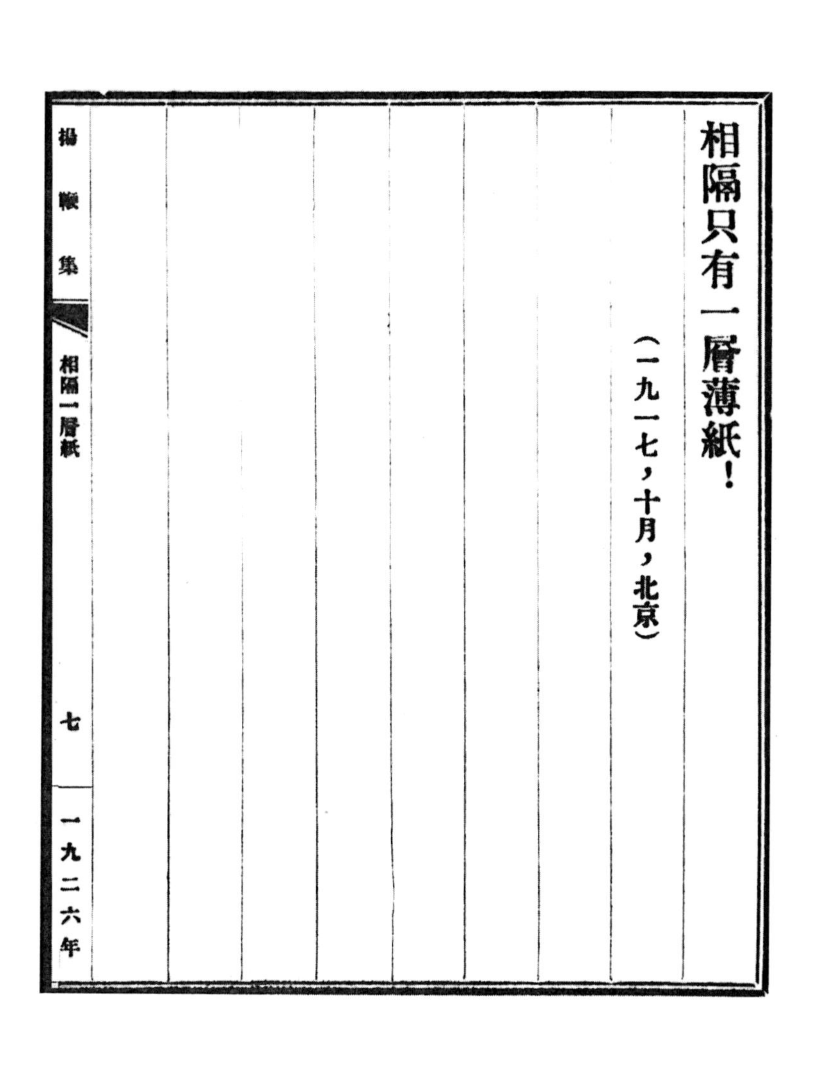
相隔只有一層薄紙！

（一九一七，十月，北京）

題小蕙週歲日造象

你餓了便啼，飽了便嬉，
倦了思眠，冷了索衣。
不餓不冷不思眠，我見你整日笑嘻嘻。
你也有心，只是無牽記；
你也有眼耳鼻舌，只未着色聲香味；
你有你的小靈魂，不登天，也不墮地。
呵呵，我羡你，我羡你，

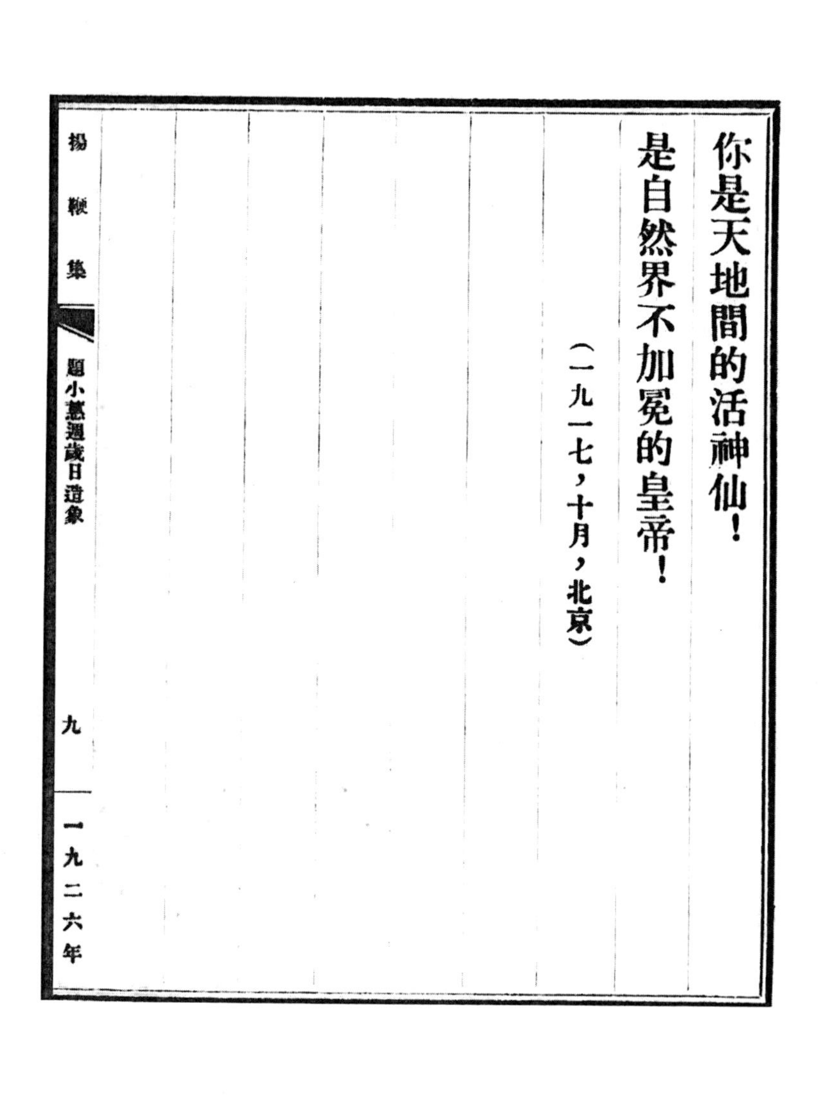
你是天地間的活神仙！
是自然界不加冕的皇帝！
（一九一七，十月，北京）

揚鞭集　題小蕙週歲日造象　九　一九二六年

一九一七

其實……

風吹滅了我的燈，又沒有月光，我只得睡了。

棹上的時鐘，還在悉悉的響着。窗外是很冷的，一隻小狗哭也似的嗚嗚的叫着。

其實呢，他們也儘可以休息了。

（一九一七，十二月，北京）

其實　一〇　北新書局印

案頭

案頭有些什麼？一方白布，一座白磁觀音，一盆青青的小麥芽，一盞電燈。燈光照着觀音的臉，却被麥芽擋住了，看它不淸。

（一九一七，十二月，北京）

一九一八

丁巳除夕

除夕是尋常事，做詩爲什麼？
不當它除夕，當作平常日子過。
這天我在紹興縣館裏，館裏大樹頗多。
風來樹動，聲如大海生波。
靜聽風聲，把長夜消磨。

主人周氏兄弟，與我談天：

丁巳除夕　一二　北新書局印

欲招繆撒，欲造「蒲鞭」。
說今年已盡，這等事，待來年。

夜已深，辭別進城。
滿街車馬紛擾，
遠遠近近，多爆竹聲。
此時誰最閒適？
地上只一個我，天上三三五寒星。

（注）繆撒，Musa之音譯。

一九二六年

丁巳除夕

窗紙

天天早晨，一夢醒來，看見窗上的紙，被沙塵封着，雨水漬着，斑剝隔離，演出許多幻象：

看！這是落日餘暉，映着一片平地，却沒有人影。

這是兩座金字塔，三五株棕櫚，幾個騎着駱駝，拿着矛子的。

北新書局印

不好！是滿地的鮮血！是無數骷髏！是赤色的毒蛇！是金色的夜叉！

看！亂轟轟的是什麼？——是拍賣場，正是萬頭鑽動，人人想出廉價，收買他鄰人的破產物。

錯了！是隻老虎，怒洶洶坐在樹林裏，想是餓了！

不是！是一蓬密密的髭鬚，襯着個託爾斯太的面孔——好個慈善的面孔！

一九一八

又錯了！託爾斯太已死，究竟是個老虎！

還不是的；是個美人——美極了。

看！美人爲什麼哭？眼淚太多了！看！一滴！兩滴，一斛，兩斛，竟是波浪滔滔，化作了洪水！

看！滿地球是洪水！腦阿的方船也沈沒了！

水中還有妖怪，吞喫他屍首！

看！天邊來了個明星！唉！是個彗星！

一六

北新書局印

「朋友！不要再看了！快發瘋了！」

「怎麼處置它？」

「扯去舊的，換上新的。」

「換上新的，怕不久又變了舊的。」

一九二六年

擬古二首

。一

轉側不成眠，何事心頭梗？
窗外月如霜，風動枯枝影。

。二

河水結堅氷，刁斗中宵靜。
想見江南人，獨把寒砧打。

（一九一八，二，一五，北京）

北新書局印

學徒苦

學徒苦！
學徒進店，爲學行賈；
主翁不授書算，但曰「孺子當習勤苦！」
朝命掃地開門，暮命臥地守戶；
暇當執炊，兼鋤園圃！
主婦有兒，曰「孺子爲我抱撫。」
呱呱兒啼，主婦震怒，

一九二六年

一九一八

學徒苦

拍案頓足，辱及學徒父母！
自晨至午，東買酒漿，西買青菜豆腐。
一日三餐，學徒侍食進脯。
客來奉茶；主翁倦時，命開烟舖！
復令前門應主顧，後門洗缶滌壺！
奔走終日，不敢言苦！
足底鞋穿，夜深含淚自補！
主婦復惜燈油，申申咒詛！

二〇

北新書局印

食則殘羹不飽；夏則無衣，冬衣敗絮！

臘月主人食糕，學徒操持臼杵！

夏日主人剖瓜盛涼，學徒竈下燒煑！

學徒雖無過，『塌頭』下如雨。

學徒病，叱曰『孺子貪惰，敢誑語！』

清清河流，鑑別髮縷。

學徒淘米河邊，照見面色如土！

學徒自念，『生我者，亦父母！』

（一九一八，二，一八，北京。）

聽雨

我來北地已半年，今日初聽一宵雨。
若移此雨在江南，故園新笋添幾許？

（一九一八，三，二四，北京）

無聊

陰沈沈的天氣，裏面一座小院子裏，楊花飛得滿天，榆錢落得滿地。外面那大院子裏，却開着一棚紫籐花。花中有來來往往的蜜蜂，有飛鳴上下的小鳥，有個小銅鈴，繫在籐上。春風徐徐吹來，銅鈴叮叮噹噹，響個不止。

花要謝了；嫩紫色的花瓣，微風飄細雨似的，一陣陣落下。

（一九一八，五月五日，北京）

一九一八

曉

火車——永遠是這麼快——向前飛進。
天色漸漸的亮了；不覺得長夜已過，只覺車中的燈，一點點的暗下來。

車窗外面：——
起初是昏沈沈一片黑，慢慢露出微光，露出魚肚白的天，露出紫色，紅色，金色的霞采。
是天上疏疏密密的雲？是地上的池沼？丘

陵？草木？是流霞？辨別不出。

太陽的光線，一絲絲透出來，照見一片平原，罩着層白濛濛的薄霧。霧中隱隱約約，有幾墩綠油油的矮樹。霧頂上，托着些淡淡的遠山。幾處炊烟，在山坳裏徐徐動盪。

這樣的景色，是我生平第一次見到。

曉風輕輕吹來，很涼快，很清潔，叫我不甘心睡。

回看車中，大家東橫西倒，鼾聲呼呼，現

出那乾—枯—黃—白—很可憐的臉色！

只有一個三歲的女孩，躺在我手臂上，笑彌彌的，兩頰像蘋果，映着朝陽。

（一九一八，七，一〇，滬寧車中）

大風

我去年秋季到京，覺得北方的大風，實在可怕，想做首大風詩，做了又改，改了又做，只是做不成功。直到今年秋季，大風又括得利害了，才寫定這四十多個字。一首小詩，竟是做了一年了！

呼拉！呼拉！

好大的風，

你年年是這樣的括，也有些疲倦麼？

一九二六年

呼拉！呼拉！
便算是誰也不能抵抗你，你還有什麼趣味呢？
呼拉！呼拉！……

沸熱

（國慶日晚間，在中央公園裡）

沸熱的樂聲，
轉將我們的心情鬧靜了。
我們呆看着黑沈沈的古柏樹下，
點着些黑黝黝的紅紙燈。

多謝這一張人家不要坐的板凳；

一九二六年

多謝那高高的一輪冷月，
送給我們倆滿身的樹影。

擬兒歌 （用江陰方言）

羊肉店！羊肉香！
羊肉店裏結着一隻大綿羊，
嗎嗎！嗎嗎！嗎嗎！嗎！……………
苦苦惱惱叫兩聲！
低下頭去看看地浪格血，
抬起頭來望望鐵勾浪！
羊肉店，羊肉香，

一九二六年

阿大阿二來買羊肚腸，
三個銅錢買仔半斤零八兩，
囘家去，你也奪，我也搶——
氣壞仔阿大娘，打斷仔阿大老子鴉片槍！
隔壁大娘來勸勸，貼上一根拐老杖！

（注）結，方言謂緊；拐老杖，拐杖也。

他們的天平

他憔悴了一點，
他應當有一禮拜的休息。
他們費了三個月的力，
就換着了這麼一點。

老牛

秋田岸上，有一隻老牛戽水，一連戽了多天。酷熱的太陽，直射在它背上。淋淋的汗，把它滿身的毛，浸成氈也似的一片。它雖然極疲乏，却還不肯休息。樹陰裏坐着一隻小狗，很涼快，很清閑，搖着它的小耳朵，用清脆的聲音向牛說：『笨牛！你天天的繞着圈子亂走，何嘗向前一步？不要說你走得喫力，我看也看厭了!」牛說:『我不管得我自己能不能向前,也管不得你看厭不看厭,只要我車下的水,平穩流動,浸潤着我一片可愛的秧田。」狗說:『到秧田成熟了,你早就跑死了!」牛說:『這件事,我從來沒有功夫想到……………」

一九二六年

E絃

提琴上的G絃，一天向E絃說：「小兄弟，你聲音眞好，眞漂亮，眞清，眞高，可是我勸你要有些分寸兒，不要多噪。當心着，力量最單薄，最容易斷的就是你！」E絃說：「多謝老阿哥的忠告。但是，既然做了絃，就應該響亮，應該清高，應該不怕斷。你說我容易斷，世界上却也並沒有永遠不斷的你！」

（一九一九，八月，北京）

這一首和前一首「老牛」，是預備登入每週評論第三十七期的。不幸這報出到三十六期就上了十字架了。後來適之把這兩詩的校樣送給我做個紀念，乃是已經斷去的E紘了。

一九一九　桂　三八　北新書局印

桂

半夜裏起了暴風雷雨，
我從夢中驚醒，
便想到我那小院子裏，
有一株正在開花的桂樹。
它正開着金黃色的花，
我爲它牽記得好苦。

但是展轉思量，
終於是沒法兒處置。

明天起來，
雨還沒住。
桂樹隨風搖頭，
洒下一滴滴的冷雨。

院子裏積了半尺高的水，

一九二六年

混和着壘黑的泥。
金黃的桂花，
便浮在這黑水上，
慢慢的向陰溝中流去。

（一九一九，九，三，北京）

中秋

中秋的月光，
被一層薄霧，
白濛濛的遮着。

暗而且冷的皇城根下，
一輛重車，
一頭疲乏的騾，

一九二六年

慢慢的拉着。

一九一九　中秋　四二　北新書局印

落葉

秋風把樹葉吹落在地上，
它只能悉悉索索，
發幾陣悲涼的聲響。

它不久就要化作泥；
但它留得一刻，
還要發一刻的聲響，

一九二六年

 落葉

雖然這已是無可奈可的聲響了，
雖然這已是它最後的聲響了。

（一九一九，秋）

鐵匠

叮噹！叮噹！
清脆的打鐵聲，
激動夜間沉默的空氣。
小門裏時時閃出紅光，
愈顯得外間黑漆漆地。

我從門前經過，

一九二六年

看見門裏的鐵匠。

叮噹！叮噹！

他鎚子一下一上，

砧上的鐵，

閃作血也似的光，

照見他額上淋淋的汗，

和他裸着的，寬濶的胸膛。

我走得遠了，

還隱隱的聽見
叮噹！叮噹！
朋友，
你該留心着這聲音，
他永遠的在沉沉的自然界中激蕩。
你若回頭過去，
還可以看見幾點火花，
飛射在漆黑的地上。

（一九一九，九月，北京）

賣菜

種菜的進城賣菜。他挑着滿滿的兩籃，綠油油的葉，帶着晶亮的露珠，穿街過巷的高聲叫賣。

不幸城裏人喫肉的多，喫菜的少，他儘管是一聲聲的高呼，可還是賣不了多少。

他賣菜賣了多年了，這點兒難道不知道！無如他既做了賣菜的，就使沒有人要買，他還得要穿街過巷的高聲吽賣。

（一九一九，十月，北京）

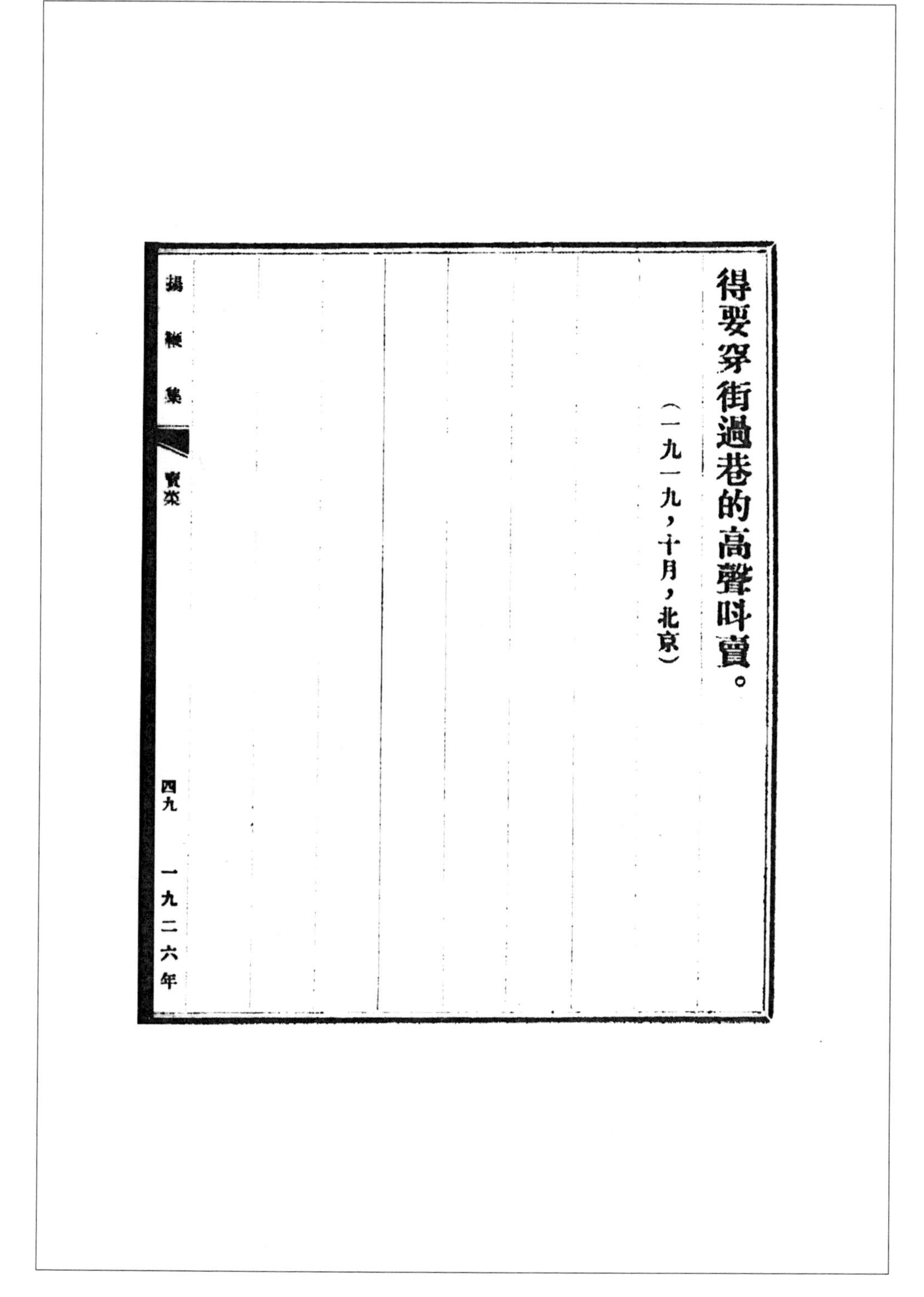

民國八年的國慶

（原詩長七十七行，曾登新生活，今刪賸四行）

朋友！
眼淚呢，終於是要流的；
但在這一天上，
也何妨忍它一忍呢？

擬裝木脚者語

歐戰初完時，歐洲街市上的裝木脚的，可就太多了。一天晚上，小客棧裏的同居的，齊集在客堂中跳舞；不跳舞的只是我們幾個不會的，和一位裝木脚的先生。

燈光閃紅了他們的歡笑的臉，
琴聲催動了他們的跳舞的脚。
他們歡笑的忙，跳舞的忙，

把世界上最快樂的空氣，
灌滿了這小客店裏的小客堂。

我呢？……
我還是多抽一兩斗烟，
把我從前的歡樂想想；
我還是把我的木脚
在地板上點幾下板，
便算是幇同了他們快樂，

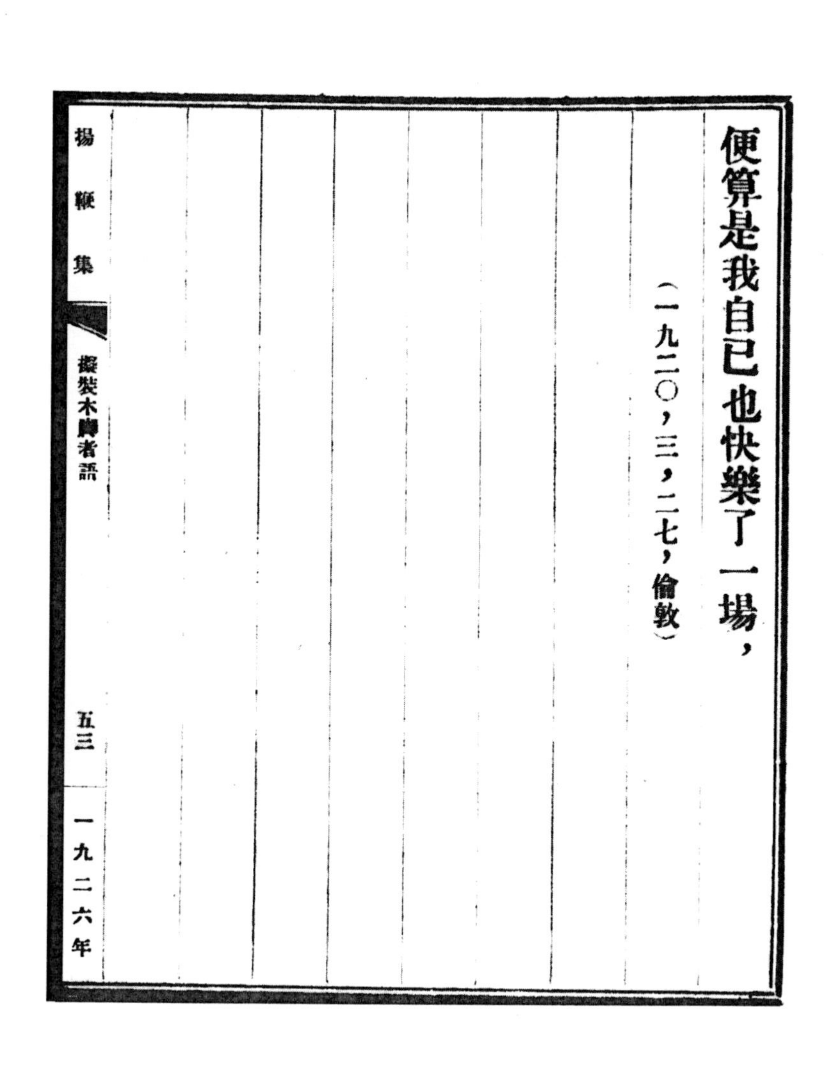
便算是我自已也快樂了一場，

（一九二〇，三，二七，倫敦）

一九二六年

一九二〇　貓與狗　五四　北新書局印

貓與狗

貓與狗相打。貓打敗了，逃到了樹頂上，呼呼的向下怒罵。狗追到樹下，兩脚抓爬着樹根，向上不住的咆哮。

貓說：『你狠！讓我你。到你咆哮死了，我下來喫你的肉。』

狗說：『你能上樹，我抓不到你。到你在樹上餓死了跌下來，我喫你的肉。』

一陣冷風吹來，樹打了個寒噤，搖頭嘆氣的說：『不幸的是我，我處於他們的永遠的爭持的中間了。但幸運的也是我，我可以可憐他們啊！到他們都死了，我冬天落下些葉子，遮蓋他們的屍身；春天招些小鳥來，娛樂他們的靈魂。』

（一九二〇，四月，倫敦）

血

耶穌釘死了，他的血，就和兩個强盜的血，同在一塊土上相見了。於是强盜的血說「同伴，為什麼人們稱你為神聖的血？」耶穌的血說：「這是誰都知道的：我的主，替人們犧牲了。」「那麼我們的主呢？」「你們的主，可是被人們犧牲了！」

（一九二〇，四月，倫敦）

一箇失路歸來的小孩

（這是小蠢的事）

太陽蒸紅了她的臉；
灰沙染黑了她的汗；
她的頭髮也吹亂了；
她呆呆的立在門口，出了神了。
她呆呆的立在門口，

叫了一聲「爹；」

她舉起兩隻墨黑的手，

說「我跌了一交筋斗。」

「爹！媽！」

她忍住了眼淚，

却忍不住周身的筋肉，

颯颯的亂抖。

她說，「媽！

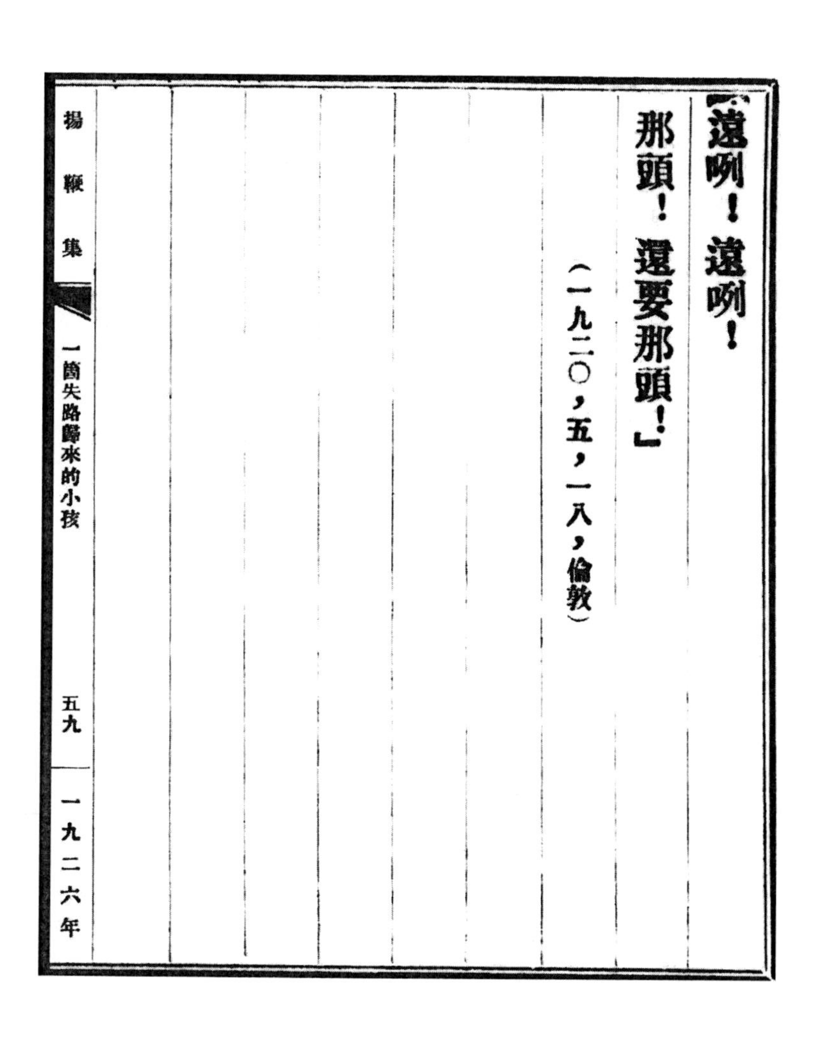
遠咧！遠咧！
那頭！還要那頭！」
（一九二〇，五，一八，倫敦）

揚鞭集 一個失路歸來的小孩 五九 一九二六年

三十初度

三十歲，來的快！
三歲唱的歌，至今我還愛：
『亮摩拜，
拜到來年好世界。
世界多！莫奈何！
三錢銀子買隻大雄鵝，
飛來飛去過江河。

江河過邊姊妹多，
勿做生活就唱歌。」
我今什麼都不說，
勿做生活就唱歌。

(注)亮摩，猶言月之神；亮摩拜，謂拜月神，小兒語也。過邊謂那邊，或彼岸。
此所謂三十，依舊習指虛歲言。

(一九二〇，六，六，倫敦)

牧羊兒的悲哀

他在山頂上牧羊，
他撫摩着羊頸的柔毛，
說『鮮嫩的草，
你好好的喫罷！』
他看見山下一條小澗，
急水擁着落花，

不住的流去。
他含着眼淚說：
『小寶貝，你上那裏去？』
老鷹在他頭頂上說：
『好孩子！我要把戲給你看：
我來在天頂上打個大圈子！』
他遠望山下的平原：

他看見禮拜堂的塔尖，
和禮拜堂前的許多墓碣；
他看見白霧裏，
隱着許多人家。
天是大亮的了，
人呢？——早咧，早咧！

哇！

他回頭過去，放聲號哭：

「羊呢？我的羊呢？」

他眼光透出眼淚，
看見白霧中的人家；
看見靜的塔尖，
冷的墓碣。
人呢？——早咧！
天是大亮的了！
他還看見許多野草，
開着金黃色的花。

（一九二〇，六，七，倫敦）

一九二〇 稿子 六六 北新書局印

稿子

「你這樣說也很好！
再會罷！再會罷！
我這稿子竟老老實實的不賣了！
我還是收回我幾張的破紙！
再會罷！
你便笑彌彌的抽你的雪茄；
我也要笑彌彌的安享我自由的餓死！

再會罷！

你還是儘力的『輔助文明，』『嘉惠士林』罷！

好！

什麼都好！

我却要告罪，

我不能把我的腦血，

做你汽車裏的燃料！』

岑寂的黃昏，

岑寂的長街上，
下着好大的雨阿！
冷水從我帽簷上，
往下直澆！
泥漿鑽入了破皮鞋，
吱吱吱吱的叫！
衣服也都濕透了，
冷酷的電光，
還不住的閃着；

轟轟的雷聲，
還不住的鬧着。
好！
聽你們罷，
我全不問了！
我很歡喜，
我胸膈中吐出來的東西，
還逼近着我胸膛，
好好的藏着。

近了！
近了我親愛的家庭了，
我的妻是病着，
我出門時向她說，
明天一定可以請醫生的了！
我的孩子，
一定在窗口望着。
是——

我已看淸了他的小臉，
白白的映在玻璃後；
他的小鼻，
緊緊的壓在玻璃上！
可憐阿！
他想喫一個煑鷄蛋，
我答應了他，
已經一禮拜了！

一盞雨點打花的路燈，
淡淡的照着我的門。
門裏面是暗着，
最後一寸的蠟燭，
昨天晚上點完了！

（一九二〇，六，二三，倫敦）

夜

（坐在公共汽車頂上，從倫敦西城歸南郊。）

白濛濛的月光，
爛洋洋的照着。
海特公園裏的樹，
有的是頭兒垂着，
有的是頭兒齊着，
可都已沈沈的睡着。

一九二六年

空氣是靜到怎似的，
可有很冷峻的風，
逆着我呼呼的吹着。

海般的市聲，
一些兒一些兒的沈寂了；
星般的燈火，
一盞兒一盞兒的熄滅了；
這大的倫敦，

只賸着些黑矗矗的房屋了。

我把頭頸緊緊的縮在衣領裏，
獨自占了個車頂，
任他去顫着搖着。
賊般狡獪的冷露呵！
你偷偷的將我的衣裳濕透了！
但這偉大的夜的美，
也被我偷偷的享受了！

（一九二〇，七月，倫敦）

雨

（這全是小蕙的話，我不過替她做個速記，替他連串一下便了。 一九二〇，八，六，倫敦）

媽！我今天要睡了——要靠着我的媽早些睡了。聽！後面草地上，更沒有半點聲音；是我的小朋友們，都靠着他們的媽早些去睡了。

聽！後面草地上，更沒有半點聲音；只是墨也似的黑！只是墨也似的黑！怕阿！野狗野貓在遠遠地呌，可不要來阿！只是那叮叮咚咚的雨，爲什麼還在那里叮叮咚咚的響？

媽！我要睡了！那不怕野狗野貓的雨，還在墨黑的草地上，叮叮咚咚的響。它爲什麼不回去呢？它爲什麼不靠着它的媽，早些睡呢？

媽！你爲什麼笑？你說它沒有家麼？——昨天不下雨的時候，草地上全是月光，它到那里去了呢？你說它沒有媽麼？——不是你前天說，天上的黑雲，便是它的媽麼？

一九二六年

一九二〇　雨　七八　北新書局印

媽！我要睡了！你就關上了窗，不要讓雨來
打濕了我們的床。你就把我的小雨衣借給雨，
不要讓雨打濕了雨的衣裳。

愛它？害它？成功！

一株小小的松，
一株小小的柏：
看它能力何等的薄弱！——
只是幾根柔嫩的枝，
幾片稀鬆的葉。
你若是要害它，
只須是一砍，便可把它一齊都砍了；

一九二六年

或是你要砍那一株，便把那一株砍去了。

可是你紮花匠說：

你不害它，你愛它。

你愛了它三年，

把柏樹紮成了一條龍，松樹紮成了一隻鳳。

你說，你成功了；

人家也說，你成功了！

我卻要傷心：

我已看不見了那天然的松，天然的柏。

有人說：你是眞心的愛它。

有人說：你是爲着要賣它，所以這樣的害它。

但是，這有什麽區別？

我只須看着了那柏做的龍，松做的鳳，

我便要傷心；

我便永遠牢記着：

你是這樣的成功了，

一九二六年

人家也就此稱許你成功了！

我這首詩，是看了英國 T. L. Peacock(1785-1866)所做的一首 "The Oak and the Beech" 做的。我的第一節，幾乎完全是抄他；不過入後的用意不同，似乎有些『反其意而爲之』（他的用意也很好）。所以我應當把他的原詩，附錄在下面：——

For the tender beech and the sapling oak,
'That grow by the shadowy rill,

You may cut down both at a single stroke,
  You may cut down which you will.

But this you must know, that as long as they grow,
  Whatsoever change may be,
You can never teach either oak or beech
  To be aught but a greenwood tree.

（一九二〇，八，一一，倫敦）

靜

心底裏迸裂出來的聲音，在小屋中激蕩了一回，也就靜了。

靜了！鼠眼在冷樑上悄悄的閃，石油在小燈裏慢慢的燃。

他倆也不覺得眼睛紅，他倆早陪了十多天的夜了。他倆已經麻木，不再覺得兩邊肋脇下一絲絲的嗡着痛了。

沈寂的午夜，還是昨天午夜般的沈寂。
只更靜，靜的聽得見屋頂裏落下來的塵埃灰屑。

他忽然爆發似的說：『「黃葉不落青葉落！」去年先去了他的妻，今年他也去了。要去的去不了，不能去的可去了！』
她不響。燈光在她老眼中，金花似的舞；她眼前是黑霧般的一片糢糊。

一九二〇 靜 八六 北新書局印

她對着床上躺着的看！看！看！……她想：他眞的去了麽？不還在屋中？耳朶裏不分明還是他的呻吟？他的呼痛？……

他身上蓋的被，怎？……不還是浪紋般的顫動？……

她回想到三十年前，這拳大的一個血泡兒，她怎樣的捧！是！只是三十年，很近！他兩點漆黑的小眼，她還記得很清。

靜！什麽地方的野狗，一聲——兩聲——……

鳥醒了，燈淡了，紙窗上的黎明，又幽幽的來了。

「怎麼好？……只是二十多天的病，眞的是夢也沒做到！」

「他呢，完了！我們呢，也快了！只還留下個小的，不也就完了！」

靜！紙窗上的黎明，幽幽淡淡的黎明……

烏沈沈的晨風，昨天般的吹來。近地處幾片紙灰，打了個小旋兒，便輕輕的飄散。

小巷中賣菜的聲音，隨着血紅的朝陽，把睡着的一齊催醒。

破絮中的小的，也翻了個身，張開眼睛問：「公！婆！爸爸的病，想是輕了；他已不像昨天般的呻吟了！」

「……………………」

白髮，白須，人面，紙灰，一般的白。階前慢慢的走着日影，頰上慢慢的流着淚珠，一般的靜，靜……

（一九二〇，八，一六，倫敦）

教我如何不想她

（歌）

天上飄着些微雲，
地上吹着些微風。
啊！
微風吹動了我頭髮，
教我如何不想她？

月光戀愛着海洋，

海洋戀愛着月光。
啊！
這般蜜也似的銀夜，
教我如何不想她？

水面落花慢慢流，
水底魚兒慢慢游。
啊！
燕子你說些什麼話？

一九二六年

教我如何不想她？

枯樹在冷風裏搖，
野火在暮色中燒。
啊！
西天還有些兒殘霞，
教我如何不想她？

（一九二〇，九，四，倫敦）

餓

此詩應在『牧羊兒的悲哀』一詩之後，以排印之舛誤，補錄於此。

他餓了；他靜悄悄的立在門口；他也不想什麼，只是沒精沒采，把一個指頭放在口中咬。

他看見門對面的荒場上，正聚集着許多小孩，唱歌的唱歌，捉迷藏的捉迷藏。

他想：我也何妨去？但是，我總覺得沒有氣力，我便坐在門檻上看看罷。

他眼看着地上的人影，漸漸的變長；他眼

看着太陽的光，漸漸的變暗。『媽媽說的，這是太陽要回去睡覺了。』

他看見許多人家的烟囪，都在那裏出烟；他看見天上一羣羣的黑鴉，咿咿呀呀的叫着，向遠遠的一座破塔上飛去。他說：『你們都回去睡覺了麼？你們都吃飽了晚飯了麼？』

他遠望着夕陽中的那座破塔，尖頭上生長着幾株小樹，許多枯草。他想着人家告訴他：那座破塔裏，有一條『斗大的頭的蛇！』他說：

『哦！怕啊！』

他回進門去，看見他媽媽，正在屋後小園中洗衣服——是洗人家的衣服——一隻脚搖着搖籃；搖籃裏的小弟弟，却還不住的啼哭。他又恐怕他媽媽，向他垂着眼淚說，『大郎！你又來了！』他就一響也不響，重新跑了出來！

他爸爸是出去的了，他却不敢在空屋子裏坐；他覺得黑沉沉的屋角裏，閃動着一雙睜圓的眼睛——不是別人的，恰恰是他爸爸的眼睛！

他一響也不響，重新跑了出來，——仍舊是沒精沒采的，咬着一個小指頭；仍舊是沒精沒采，在門檻上坐着。

他眞餓了！——餓得他的呼吸，也不平均了；餓得他全身的筋肉，竦竦的發抖！可是他並不啼哭，只在他直光的大眼眶裏，微微有些淚痕！因爲他是有過經驗的了！——他啼哭過好多次，却還總得要等，要等他爸爸買米回來！

他想爸爸眞好啊！他天天買米給我們喫。

但是一轉身，他又想着了——他想着他爸爸，有
一雙睜圓的眼睛！

他想到每吃飯時，他吃了一半碗，想再添
些，他爸爸便睜圓了眼睛說：『小孩子不知道
「飽足」，還要多吃！留些明天吃吃罷！』他媽媽
總是垂着眼淚說，「你便少喝一「開」酒，讓他多
吃一口罷！再不然，便譬如是我——我多吃了一
口！』他爸爸不說什麼，却睜圓着一雙眼睛！

他也不懂得爸爸的眼睛，爲什麼要睜圓

着，他也不懂得媽媽的眼淚，爲什麼要垂下。但是，他就此不再吃了，他就悄悄的走開了！

他還常常想着他姑母——『阿！——好久了！媽媽說，是三年了！』三年前，他姑母來時，帶來兩條鹹魚，一方鹹肉。他姑母不久就去了，他却天天想着她。他還記得有一條鹹魚，掛在窗口，直掛到過年！

他常常問他的媽媽，『姑母呢？我的好姑母，爲什麼不來？』他媽媽說，『她住得遠咧！

——有五十里路，走要走一天！」

是呀，他天天是同樣的想，——他想着他媽媽，想着他爸爸，想着他搖籃裏的弟弟，想着他姑母。他還想着那破塔中的一條蛇，他說：「它的頭有斗一樣大，不知道他兩只眼睛，有多少大？」

他咬着指頭，想着想着，直想到天黑。他心中想的，是天天一樣 他眼中看見的，也是天天一樣。

一九二〇 餓 九二H 北新書局印

他又聽見一聲聽慣的『哇～～烏～』，他又看見那賣豆腐花的，把擔子歇在對面的荒場上。孩子們都不游戲了，都圍起那擔子來，捧着小碗吃。

他也問過媽媽，『我們爲什麼不吃豆腐花？』媽媽說，『他們是吃了就不再吃晚飯的了！』他想，他們眞可憐阿！只吃那一小碗東西，不餓的麼？但是他很奇怪，他們爲什麼不餓？同時擔子上的小火爐，煎着醬油，把香風一陣陣送來，叫他分外的餓了！

天漸漸的暗了，他又看見五個看慣的木匠，依舊是背着斧頭鋸子，抽着黃烟走過。那個年紀最大的——他知道他名叫『老娘舅』——依舊是喝得滿面通紅，一跛一跛的走；一隻手裏，還提着半瓶黃酒。

他看着看着，直看到遠遠的破塔，已漸漸的看不見了；那荒場上的豆腐花擔子，也挑着走了。他於是和天天一樣，看見那邊街頭上，來了四個兵，都穿着紅邊馬褂：兩個拿着軍棍，兩個打着燈。後面是一個騎馬的兵官，戴着圓圓的眼鏡。

荒場上的小孩，遠遠的看見兵來，都說『夜了』！一下子就不見了！街頭躺着一隻黑狗，却跳了起來，緊跟着兵官的馬脚，汪汪的嗥！

他也說，『夜了夜了！爸爸還不回來，我可要進去了！』他正要掩門，又看見一個女人，手裏提着幾條魚，從他面前走過。他掩上了門，

北新書局印

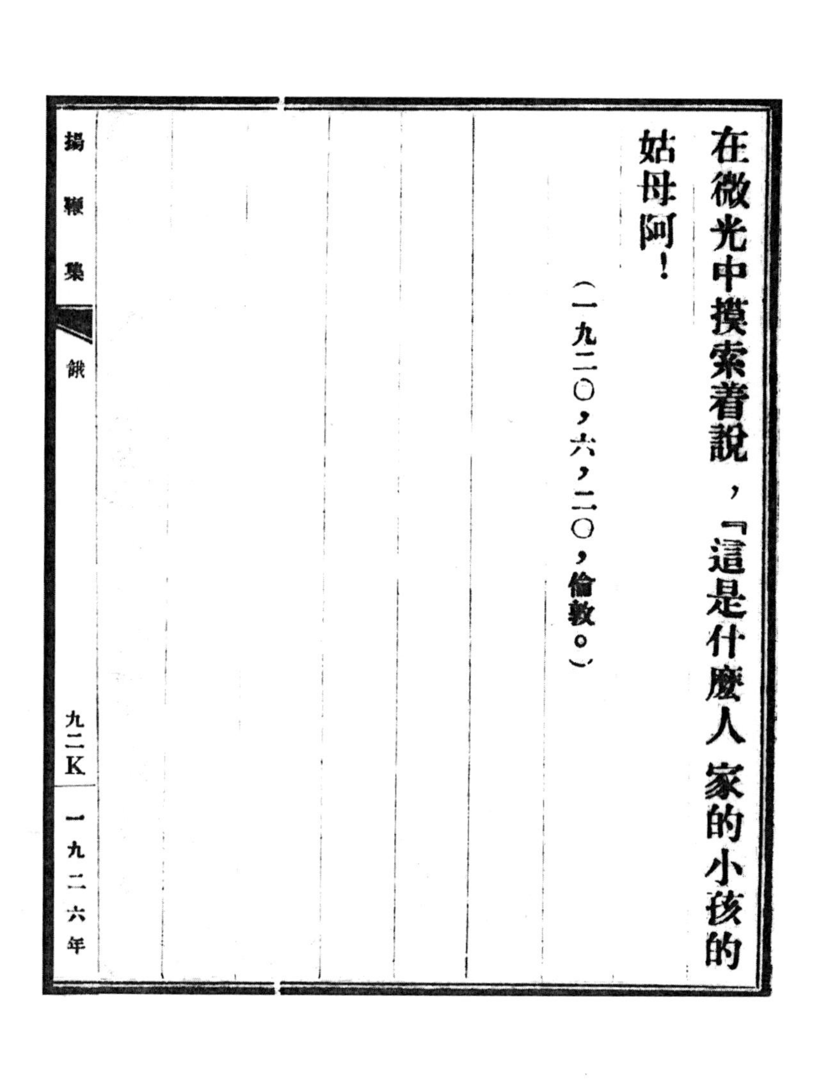
在微光中摸索着說，「這是什麼人家的小孩的
姑母阿！
（一九二〇，六，二〇，倫敦。）

一九二〇
九二L
北新書局印

揚鞭集 上卷

定價四角五分

一九二六年六月

北京東城翠花胡同十二號
北新書局發行

東南園三十號
中國印書局代印